一战简史 · 帝国幻觉

WORLD WAR ONE
A Short History

[英] 诺曼·斯通◎著
王东兴 张蓉◎译

中信出版社·CHINA CITIC PRESS ·北京·

图书在版编目（CIP）数据

一战简史：帝国幻觉 /（英）斯通著；王东兴，张蓉译．—北京：中信出版社，2014.8
书名原文：World War One: A Short History
ISBN 978-7-5086-4682-4
I. ①一… II. ①斯… ②王… ③张… III. ①第一次世界大战-战争史 IV. ①K143
中国版本图书馆CIP数据核字（2014）第145688号

一战简史：帝国幻觉

著　　者：[英]诺曼·斯通
译　　者：王东兴，张蓉
策划推广：中信出版社（China CITIC Press）
出版发行：中信出版集团股份有限公司
（北京市朝阳区惠新东街甲4号富盛大厦2座　邮编　100029）
（CITIC Publishing Group）
承 印 者：北京京师印务有限公司

开　　本：880mm×1230mm　1/32　　印　　张：9.25　　字　　数：139千字
版　　次：2014年8月第1版　　印　　次：2014年10月第2次印刷
京权图字：01-2014-4212　　广告经营许可证：京朝工商广字第8087号
书　　号：ISBN 978-7-5086-4682-4 / K · 397
定　　价：38.00元

服务热线：010-84849555　　服务传真：010-84849000
投稿邮箱：author@citicpub.com

这不是终结所有战争的战争。

目　录

图片索引

地图索引

序　言

1900年的西欧，或更确切地说是西北欧，似乎已经掌握了终结历史的秘诀[1]。这里创造了一个又一个的技术奇迹。19世纪50年代出生在西北欧的人们，经历了整个人类历史上最巨大的“飞跃”。而且，第一次世界大战的大部分将军就诞生在他们中间。这是以马和马车作为交通工具开始的一代人，到了1900年前后，他们却用上了电话、飞机和汽车。与此同时，其他文明古国却都病入膏肓，甚至最古老的文明古国中国也正在解体。西欧的几个帝国接管了世界的大部分地区。

① 此处作者仿效弗朗西斯·福山的《历史的终结》一书的用法，终结历史的秘诀也可译为实现了历史的目的，一般来说，历史目的指人类历史的发展具有某种先定目的，如实现“神意”、“理性”、“世界精神”等。——译者注

英属印度总督寇松勋爵[1]可不是一个蠢货。1904 年时他就宣布，英国人会像“永远”生活在那里一样，去统治印度。

在德文名著《源于幻觉的战争》[2]（*War of Illusions*）中作者指出帝国愿景只是一种幻觉。确实，就在 1904 年到 1914 年这 10 年间，英帝国统治的许多地区逐渐变成了数百万英亩却又毫无价值的不动产，其中有的地区难以统治，有的地区则不值得统治。在随后的 30 年里，大英帝国又陆续丢掉了印度和巴勒斯坦。

参战的各国政府都假惺惺地宣称它们的行为是在保家卫国，其实，它们正在做“帝国梦”。在 1914 年，最后一个非欧洲的庞大帝国，奥斯曼土耳其帝国正在逐渐崩溃。当时，从理论上来说，它的疆域从摩洛哥一直延伸到了非洲的大西洋沿岸，包括埃及、阿拉伯半岛，以及高加索地区。即使是那个时候，石油也已经变得非常重要：英国海军在 1912 年时就开始采用石油来替代煤炭。巴尔干半岛各国之所以重要，

---

① 乔治·纳撒尼尔·寇松，英国政治家，1898~1905 年间任英属印度总督，曾出任英国外交大臣（1919~1924）和枢密院院长等职。——译者注

② 该书的全名是“源于幻觉的战争：1914 年至 1918 年的德国政治”，作者是德国著名历史学家弗里茨·费舍尔（Fritz Fischer）。——译者注

也完全是因为它们挡在了通往君士坦丁堡的交通线上（在当时，就连土耳其人也把它称作君士坦丁堡[①]）。凑巧的是，在写作本书的过程中，我有一段时间住在一个能够眺望到博斯普鲁斯海峡的房间里。海峡中散布着各种船只，从油轮到拖网渔船，它们昼夜不断地通过这里，数量惊人。博斯普鲁斯海峡是欧亚大陆的咽喉，我在当时所看到的情形和1914年时是一模一样的。

也许，除爱尔兰以外，"一战"后的多个和平条约所产生的唯一持久成果，就是现代国家土耳其的诞生。在1919年，列强利用土耳其境内的同盟，比如希腊人和亚美尼亚人，试图瓜分这个国家。不过，令许多人惊讶不已的是，在一场著名的、史诗般的战斗中，土耳其成功地击退了协约国及其同盟，重新赢得了独立地位。随后的现代化进程（不得不被称为西方化），虽然不是一帆风顺，但照样成就斐然。1995年，我参加了一个关于巴尔干半岛各国的研讨会，这次机缘把我

① 即今土耳其的港口城市伊斯坦布尔。历史上曾先后作为拜占庭帝国和奥斯曼土耳其帝国的首都。在奥斯曼土耳其统治时期，该城既叫君士坦丁堡也叫伊斯坦布尔，1923年之后正式称为伊斯坦布尔。——译者注

带到了土耳其，并让我留在了这里。我要感谢比尔肯特大学（Bilkent University）校长阿里·多拉马哲（Ali Dogramcai）提供的帮助。在被称为“欧洲空间[①]”的土耳其，比尔肯特大学是第一所私立大学，它的成功显而易见，并在随后的岁月里作为一个榜样被广泛效仿。在土耳其，我得到了非常多的善意帮助，因此，能够很容易就理解上了年纪但睿智的帕夏冯·德·戈尔茨[②]在描述他漫长人生经历时所说的话。戈尔茨与奥斯曼土耳其打了二十多年交道，是一位参加过第一次世界大战的德国高级军官。他说，他在土耳其“发现了一片新领域，每天都能学到新东西。”

我想通过多拉马哲教授，代我向比尔肯特大学的全体同人表示谢意，不过，我愿在此特地感谢一些朋友和同事：阿里·卡洛斯曼瑙格鲁（Ali Karaosmanoglu）教授和杜伊

---

① 1999年5月，欧盟主要国家为寻求欧盟地域范围内的协调和可持续发展，提出了欧洲空间及其发展规划的概念。土耳其一直积极申请加入欧盟。因此，作者在这里将土耳其称为欧洲空间的一部分。——译者注

② 帕夏冯·德·戈尔茨（Von Der Goltz Pasha）（1843~1916），通称戈尔茨男爵或者帕夏戈尔茨。帕夏是奥斯曼土耳其帝国行政系统里的高级官员。普鲁士军人，军事历史学家，德意志帝国陆军元帅，德军总参谋部的异类，人民战争理论的开创者，奥斯曼土耳帝国陆军的重建者。——译者注

古·塞泽尔（Duygu Sezer）教授从一开始就非常乐于帮助我。在土俄关系方面，我要特别感谢爱莎·阿尔通（Ayse Artun）、哈桑·阿里·卡拉萨尔（Hasan Ali Karasar）、肖恩·麦克米金（Sean McMeekin）、谢尔盖·波多罗托夫（Sergey Podbolotov）给予我的帮助。我也要对叶甫根尼娅（Evgenia）和哈桑·于纳尔（Hasan Ünal）表达谢意，他们向我介绍了黎凡特地区[①]的历史。鲁珀特·斯通（Rupert Stone）是我的目标读者，他阅读了原稿并给予了切中肯綮的评论，戴维·史蒂文森（David Stevenson）也做了同样的工作。我的两位助手察格利·卡亚（Cagri Kaya）和巴兰·土库曼（Baran Turkmen）也是我的目标读者，他们坚持完成行政事务，还学习了俄语，并教我如何驾驭各种写作工具。

在这一版，我修正了一些错误，因此，我感谢那些指出这些错误并与我通信的读者们。

① 在历史上，这一地区的地理界限一直没有被确定，大体指的是中东托罗斯山脉以南、地中海东岸、阿拉伯沙漠以北和美索不达米亚以西的一大片地区，相当于今天的叙利亚、黎巴嫩、以色列、巴勒斯坦和约旦五国所在区域。——译者注

对一些专有名词的说明

在有关第一次世界大战的研究中，作者和读者最关心的莫过于要严格一致地使用那些频繁改换的地名。我往往倾向于使用那些历史上有重大意义，而在当地目前不再使用的地名："卡波雷托"（Caporetto）要比现代的斯洛文尼亚语"科巴里德"（Kobarid）更有意义，而"君士坦丁堡"现在则被完全弃用了。我一般也把"奥匈帝国"缩写为"奥地利"。要在这些事物上都做到正确无误是不可能的，我只能将阅读方便放在最重要的位置。

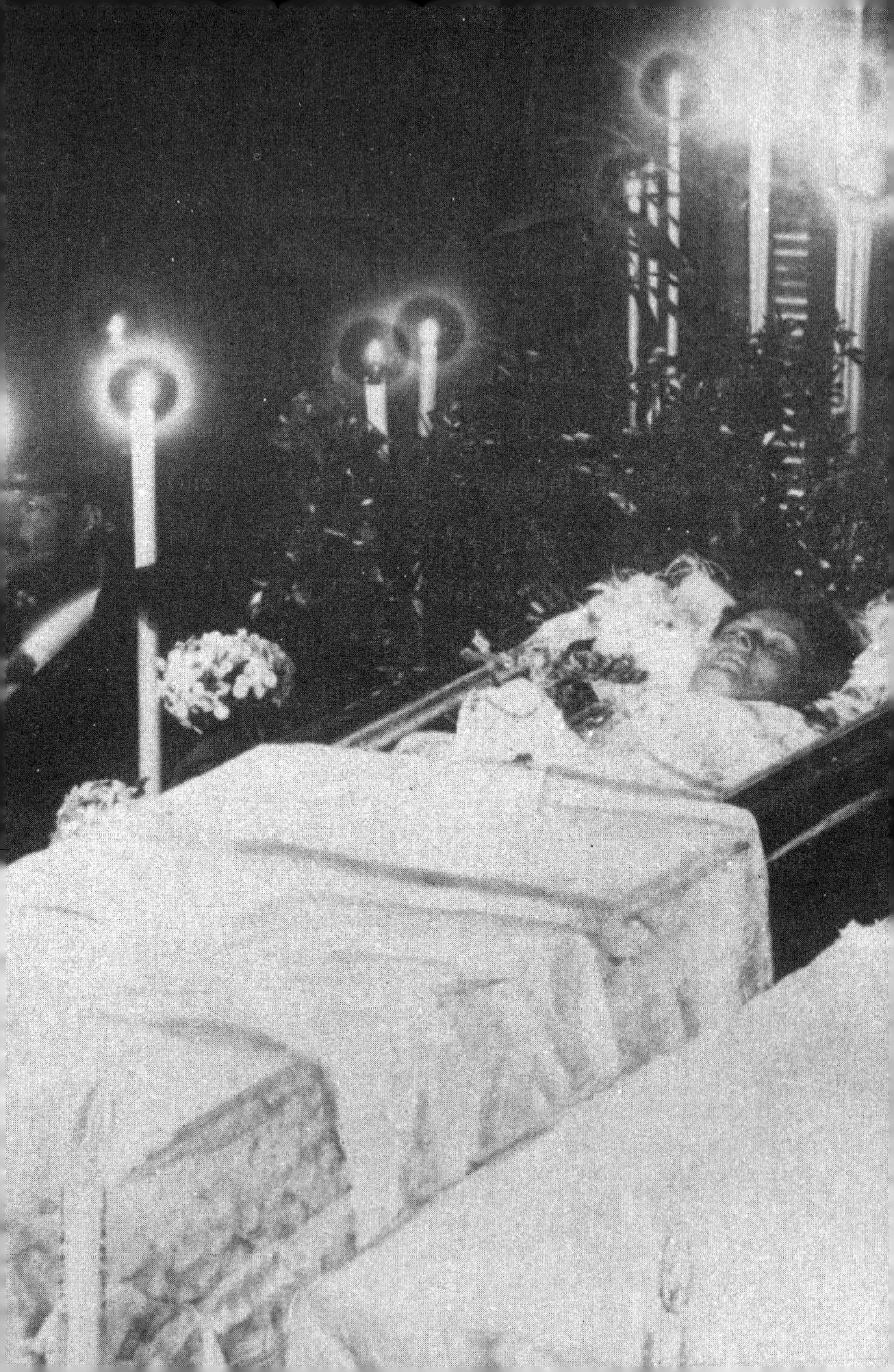

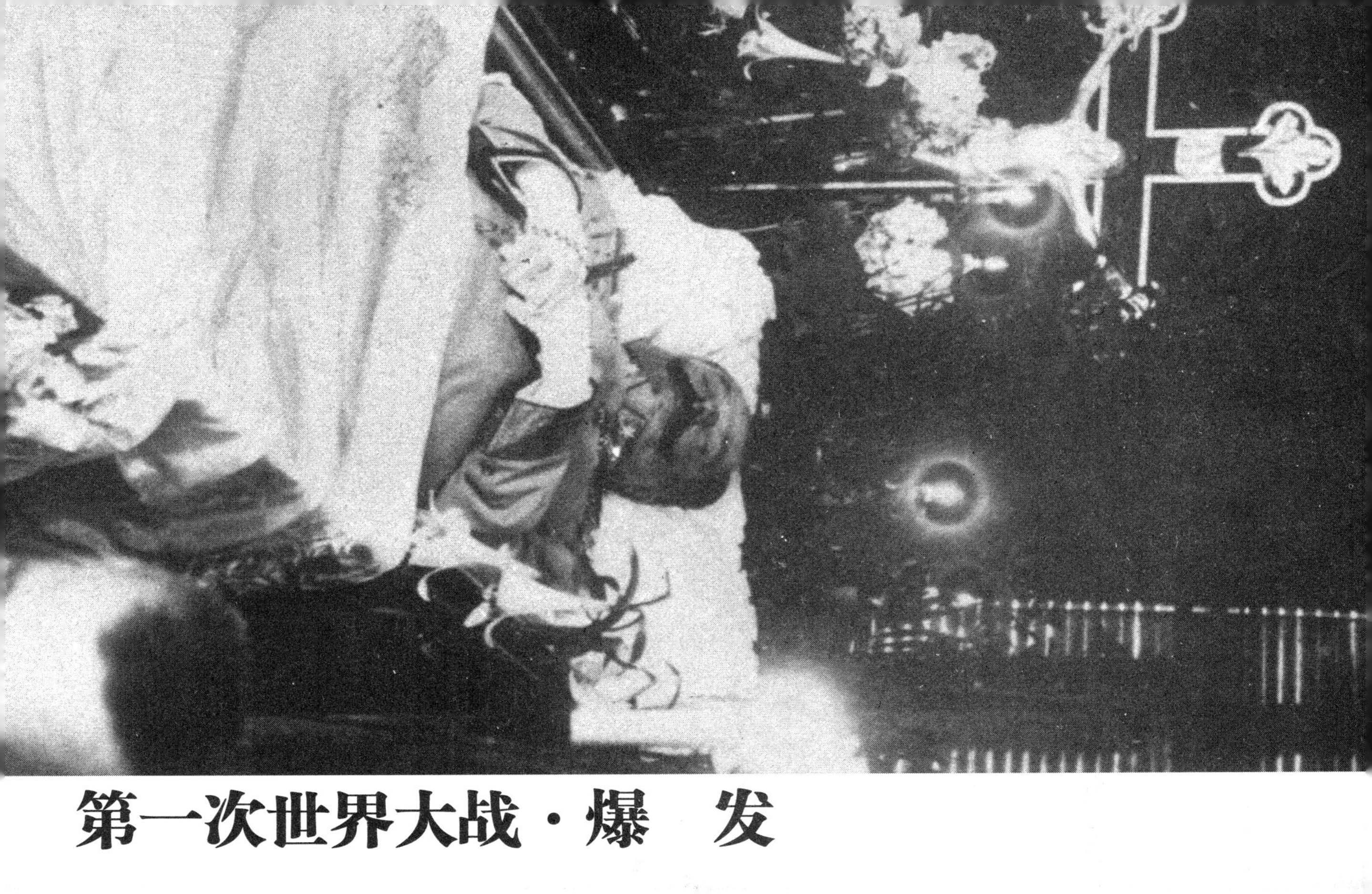

第一次世界大战·爆　发

安卧中的弗朗茨·斐迪南大公和他的妻子索菲女公爵

第一章 爆 发

第一次世界大战中的第一个外交和约，于1918年2月9日凌晨在白俄罗斯城市布列斯特–立托夫斯克（Brest-Litovsk）签订。整个谈判过程都被记录了下来。为签订这份和约而进行的各项谈判确实具有超现实主义色彩。在一处豪宅大厅中（这里曾是一位俄国官员的俱乐部），端坐着德国的代表和他们的同盟者：巴伐利亚的利奥波德国王，身着陆军元帅制服的奥匈帝国皇帝的女婿，一群打着黑领结、向后斜靠着、做出一副屈尊俯就样子的中欧贵族们，一位土耳其帕夏[1]和一位保加利亚上校。他们的对面则坐着一个新兴国家的代

---

① 帕夏，奥斯曼土耳其帝国行政系统里的高级官员，通常是指总督、将军及高官。——译者注

表们，这个国家不久后被称为苏维埃联邦社会主义共和国：除了几位犹太知识分子之外，还有其他各色人等，其中就有比岑科夫人（Madame Bitsenko），她曾因行刺一位地方行政长官而被囚禁在西伯利亚的一座监狱中，最近刚刚获释归来。还有一位是“农民代表”，他是最后一刻才在俄国首都街头被找到的，他是非常有用的摆设（这样你就能理解他为什么一直醉醺醺的）。还有许多沙俄旧体制中的俄罗斯人，包括一位海军上将和一些军事参谋，把他们一起带来是因为他们了解结束战争和撤离前线的技术细节（有一位是玩弄黑色幽默的行家里手，他还坚持写日记）。在布列斯特，他们摆出各种各样的姿势便于拍摄。当然，谈判的最终结果是和平。“一战”已进行了将近4年，造成了数百万人的伤亡，并摧毁了1914年战争爆发前这个世界最值得骄傲的创造——欧洲文明。战争还摧毁了沙皇俄国：布尔什维克已在1917年11月以革命的方式逐步地接管了政权，他们承诺要实现和平。现在，在布列斯特–立托夫斯克，他们在德国人的口述下得到了和平。

第一章 爆 发

《布列斯特–立托夫斯克和约》[1]的条款极为高明。德国人没有占领太多领土，他们所做的，是指明俄国西部和高加索地区的各民族现在可以自由地宣布独立。这一结果使当时划定的边界与今天各国的边界十分相似。巴尔干半岛各国和高加索地区各国（还包括芬兰）都在阴影笼罩下诞生了。从中欧延伸到伏尔加河的最重大的问题是乌克兰。这里拥有4 000万人口和沙皇俄国3/4的煤铁资源。在布列斯特，德国人就是和乌克兰的代表们（一些不修边幅的大学毕业生和一两个投机银行家，他们不说乌克兰语，而且正如福楼拜对这类人的评价那样，被人家卖了还帮人家数钱）于2月9日签署了那份被拍摄下来的和约，布尔什维克的代表随后于3月3日也在该和约上签字。拥有乌克兰，俄罗斯就像美国；而没了乌克兰，它就像加拿大——大部分地区都是冰雪而已。《布列斯特和约》提到的那些国家，在苏联解体的时候

① 《布列斯特–立托夫斯克和约》，也称《布列斯特和约》，是第一次世界大战期间苏俄政府与同盟国于1918年2月在布列斯特–立托夫斯克签订的和约。和约的内容对苏俄政府是一个直接和沉重的打击，但随着德国在“一战”中的失败，该和约自动成为一纸空文。一般认为，这是苏俄政府以空间换时间的成功外交。它充分地利用了各国的矛盾，使新生的苏俄政府有了巩固政权的时间，为此后维护政权创造了有利条件。——译者注

又都重新获得了独立。在1918年时，它们是德国的卫星国，乌拉赫（Urach）公爵[1]成为了立陶宛的“大公明道加斯二世（Mindaugas II）[2]”；而黑森伯爵当时也准备前往芬兰出任国王。在今天，德国在所有这些国家中都发挥着最重要的作用，但与“一战”时相比，却存在巨大不同：回想那个时候，德国的目标是建立一个世界帝国；可现在，它却没有展现出那样的意愿。现在的情况恰恰相反，要使德国自信地承担起它在国际事务中的责任倒是有些困难。如今，通用的语言是英语，而非德语。但是在1918年，每个人都理所当然地不得不讲德语。现代欧洲是《布列斯特和约》的人性尊严的再现，虽然我们经历了第二次世界大战和英美对德国的占领后才实现了这一切。

对于欧洲的德国时代，有许多重要事情要加以说明。1871年，在宰相俾斯麦的领导下，德国打败法国，崛起成为最强

① 乌拉赫公爵是威廉的父亲，符腾堡王国的威廉一世获得的爵位，他是第二任乌拉赫公爵。——译者注

② 明道加斯二世（1864年3月3日～1928年3月24日），即乌拉赫的威廉，全名威廉·卡尔·佛罗莱斯坦·格洛·克莱申提乌斯（Wilhelm Karl Florestan Gero Crescentius），第二任乌拉赫公爵，1918年7月11日被选为立陶宛国王，四个月后立陶宛君主制覆亡。——译者注

大的霸权国家，并把法国远远地甩在了后面。在1914年，柏林成为了当时的雅典，成为了一个可以在那里学到任何重要东西的地方，比如物理学、哲学、音乐和工程学（那个时代具有纪念价值的所有单位术语“赫兹”、“伦琴”、“马赫”和“狄塞尔”等，以及筑造起现代世界的那些发现，都出自德国）。1914年宣布参战的英国内阁中有3名成员曾在德国的大学读书，其中的陆军大臣还曾翻译过叔本华的作品。在《布列斯特和约》谈判的前前后后，德国人遇到的许多俄籍犹太裔布尔什维克的情况也是一样。德国化学家和工程师的巧思妙想可谓无穷无尽，就在那到处都是崎岖山路的意大利战线上[①]，同盟国的军队离胜利只有一步之遥：费迪南德·保时捷[②]发明了四轮驱动的汽车，同盟国的军队因而能够应对不平的山路。1914年，工业发达的萨克森王国，也就是鲁尔区，

① 意大利战线，指的是在第一次世界大战期间的1915年到1918年在意大利北部进行的战事。交战双方是奥匈帝国和意大利。——译者注

② 费迪南德·保时捷（1875~1951），又译为费迪南德·波舍尔，是德国著名的汽车工程师。他从未受过系统的高等教育，凭靠兴趣自学成才。他是汽车发展史上的革命性人物，保时捷公司的创始人，曾先后参与戴姆勒–奔驰公司和大众汽车公司的建立和运营，也是甲壳虫汽车的设计者。“二战”期间因与纳粹合作，战后曾被定为战犯，后获释。——译者注

烟囱林立，与过去英国的一些城市，特别是曼彻斯特一模一样。当然，正像丘吉尔所承认的那样，德国确实创造了惊人的战争成果，由于取得了像 1917 年进攻意军的卡波雷托战役（Battle of Caporetto）[①]、1918 年进攻英军的三月攻势（March Offensive）[②]这样的胜利，它所展现出的精气神，是协约国方面步履沉重的士兵们完全无法拥有的。

从实际情况来看，欧洲的德国时代这个概念也是合情合理的。而且相比“一战”前，今天的欧洲再一次出现了惊人的相似之处，相似得令人感到怪异和害怕。欧洲的经济主要依赖瑞典和法国的矿石、德国的煤炭和钢铁，甚至包括北非甚至是巴格达的石油。当时，石油已变得非常重要，所有人都想去开采——德国要避免英美竞争这些资源。在 1915

① 卡波雷托战役，第一次世界大战期间的 1917 年 10 月 24 日到 11 月 9 日，德奥联军与意军在卡波雷托地域（今斯洛文尼亚的科巴里德）进行了一次战役，这是“一战”期间最大规模的山地交战。战斗伊始，德奥联军迅速突破防线，纵向深入北意大利 100 公里，意军损失惨重，后在英法 11 个师的驰援下，意军阻止了德奥联军在皮亚韦河的攻势，并在 11 月底稳定了战线。——译者注

② 三月攻势，是第一次世界大战期间的 1918 年 3 月 21 日到 4 月 4 日，德军在西线对英军实施了一次战略性进攻战役。战役的目的是分割英法联军，并迫使英国退出战争。在近半个月的战斗中，德军曾楔入英法联军防御阵地 80 余公里，逼近交通枢纽亚眠，双方伤亡惨重，但德军没有达到战役目的。——译者注

年，最开明的德国人之一，弗里德里希·瑙曼（Friedrich Naumann）就写过一本名为“中欧”的畅销书。他在书中呼吁，与其追求一个德意志主导下的帝国，不如建立一个基于日耳曼语族的共和国。柏林应该引领境外东南部的众多较小民族的发展，做它们的榜样。况且，德国境内也有许多小的民族。历史上3个有名的帝国，奥匈帝国、沙皇俄国和奥斯曼土耳其帝国曾先后瓜分和吞并了这些民族，而波兰人是其中最大的一个民族，德国就有数百万波兰人的后裔。民族主义运动大多出现在这些被吞并的民族之中，并已威胁到了奥匈帝国和土耳其的生存。总的来说，在德国政府看来，不能听任这些非日耳曼民族耗掉过多资财。奥匈帝国已经花费巨资试图收买那些民族主义者，却徒劳无功，反倒没有了足够的资金来提高实力——尤其是奥匈的军队预算要远远少于英国军队，仅为后者的1/10。如果注入一点儿普鲁士的效率，严格地管理奥匈帝国，那么，白花钱且无力提升军力的问题就不存在了。在这本倡导日耳曼语族的《中欧》一书中，瑙曼的思路大体是：这些较小的民族，它们的文化归根结底多半都来源于德国，它们定会跟从德国的。自1879年以来，德奥同盟已经形成，瑙曼的意思是要赋予这个同盟有效的经济手段，而其他德国人想到的则是一种更强有力的方法。

随着德国工业的突飞猛进，这些德国人的信心也日渐爆棚，成功令他们骄傲自大，头脑发昏。俾斯麦一直是清醒审慎的——他能够预见到，一个地处欧洲中心的强大德国，可能会使邻国团结起来对抗它。但是，新一代的统治者正冉冉升起，而且踌躇满志。他们的头号代表人物就是 1889 年登基的新德皇，年轻的威廉二世。这位德国皇帝效仿的榜样是英国。英国极为富庶，而且拥有庞大的海外帝国。从制度方面来说，英国无疑十分保守，这个国家的特点是凡事都有历史渊源。但与此同时，它也在引领时代，这里的工业品占世界贸易的大部分份额。而庞大的海军则保障了它包揽一切的地位。那为什么德国就不能获取一个能与英国匹敌的海外帝国呢？这样，在威廉二世的领导下，德国的霸权追求和对霸权追求的轻率表达，就成为了一个“特殊的”欧洲问题。

在欧洲大陆，法德之间早已存在对抗的关系。从短期来看，法德对抗的结果使俾斯麦在 1871 年取得了伟大胜利，新德国兼并了东部的阿尔萨斯和洛林两省。但从历史的角度，即从回溯到17世纪来看，这两个国家之间对抗的结果则是法国支配了欧洲，并永久性地把德国分裂为众多彼此争吵不休的大小邦国。在“一战”前夕，法德对抗又多了另外一层紧张关系。俾斯麦一直小心翼翼不去疏远俄国，柏林和圣彼得堡之间彼此了解颇深，部分是因为君主之间总体上比较团结，另外双方在波兰也有共同利益，而波兰可不是一块好啃的骨头。但在19世纪后期，由于土耳其帝国在欧洲变得虚弱不堪，德俄关系出现了一个新的因素。德国的盟友奥匈帝国对巴尔干半岛各国有着强烈的兴趣，俄国也是一样。面对奥俄之间的冲突，俾斯麦平衡两方的策略就变得顾此失彼了。俄国人在寻求德国支持方面遭受了挫折，转而指望法国的帮助，因为至少法国能抽出资金在国外投资，而德国人的资金都留在了国内[1]。到了1894年，法国与俄国正式结盟。这样，当德国公开宣布寻求世界霸权和建立强大海军之时，问题就变得更加复杂了。

在1900年，欧洲以外的世界似乎都处在分崩离析之中。印度和非洲已成为欧洲人的囊中之物；中国和土耳其看上去越来越有可能被解体，德国人渴望在那里分到好处。当时，德国人在完全错误的道路上推进他们的政策，所以1890年前后长大成熟的一代人要对此负大部分责任。也是在那时，德国人需要解决的最后一件事情是与英国的关系。可是当德国建造了一支旨在进攻英国的海军时，这个国家就犯下了20世纪最大的错误！建立一支强大海军，在某种程度上把德国境内最优秀的人物团结在了一起。马克思·韦伯（Max Weber）是最受尊重的社会学家之一，他天赋非凡，涉猎广泛，对语言、法律、历史、哲学，甚至对统计波兰农民购买普鲁士土地都有精深的研究。1895年，他被任命为弗莱堡大学（Freiburg University）政治经济学教授，那时他做了一次广受关注的就职讲演。得到这一教职时，韦伯还相当年轻，刚刚30岁出头。这位教授（他于1899年退出泛德意志联盟[①]，理由是这个组织没有达到民族主义的要求）讲的一些话，在现在看来有点儿莫名其妙，要比希特勒所说的还不讲理。他说道："英国没有社会问题，是因为它非常富有。它非常富

① "泛德意志联盟"，又称"泛德意志协会"，成立于1891年，宣传日耳曼民族优越论、社会达尔文主义和征服世界的狂想。到"一战"爆发前夕，已有成员两万多人，人数虽不多，但基本上由容克贵族、工商业家、军官、律师和教授组成，在当时众多沙文主义团体中能量最大。——译者注

有，是因为它拥有一个帝国。它能够把那些不良分子——爱尔兰人、无产者等——运走，是因为它已对殖民地进行了归类，把澳洲划为安置他们的地方，而且英国能够从澳洲获得廉价的原材料和一个消费市场。因此，英国拥有便宜的食品，不存在失业。而英国能够拥有它的帝国，是因为它有一支远比其他国家强大的海军。德国也有一些不良分子——波兰人、无产者等——因此，德国也必须把这些人渣倾倒到殖民地。这样，拥有一支海军就是一个很好的想法了。如果在一次战斗中，德国海军的规模大到在全军覆没之前还能对英国海军造成严重损害，那么英国就会承认德国的帝国身份。而且，这意味着英国海军在接下去的战斗中就不会再有充足的舰船，从而会被法国人或俄国人击沉。"韦伯的这次讲演，博得了听众的欢呼。这是一个聪明人整理出来的最愚蠢的理论之一，甚至都不值得奚落和嘲弄。他论证的每一步都是错误的，因为他以假设英国人有很少的社会问题开始，如果没有维持帝国运转的成本，那问题可能会更少。在 20 世纪 70 年代，即欧洲帝国主义走到尽头之际，欧洲大陆最贫困的国家是葡萄牙，但是当时它控制着庞大的非洲帝国；最富庶的国家是瑞典，它很早以前就放弃了它唯一的一块在加勒比海的殖民地；而瑞士，从来就不曾拥有过帝国。

韦伯具有一种道德意识[2]，因此，在1914年，当看到他的那些年轻学生被残杀时，他拒绝加入一群欢呼民族伟业的教授队伍中。但是，他和那些与他一样具有道德感的人们一起把年青的一代引向了死亡之路。德国确实建造了一支海军，一支军费占国防预算1/3的海军。可是，这笔资金是从陆军军费中转拨过来的，这就使得陆军无力承担起法俄联盟已经展开的两线作战。陆军因没有足够的资金，而无法接纳一多半本可以受训的年轻人，因为如果接纳他们进入军营，他们就会缺衣少食。由于这些年轻人免服兵役，所以德国陆军规模在1914年时几乎不比法国大多少，尽管当时法国人口在4 000万以下，而德国人口却是6 500万。德国建造的战列舰质量非常高，但它们的数量还是太少，因此，易受攻击，很难防御，这一点让德国人毫无办法的。差不多在整个第一次世界大战期间，它们都停在海港中，直到战争末期，由于面临着毫无意义的牺牲，德国水兵发生哗变，导致了德意志帝国自身的灭亡。这支海军只打算在北海游弋，因此不需要像在世界范围内游弋的英国战舰消耗那么多的煤，但德国海军却能够动用一些特殊装备，力图争霸世界。正是这一明显的敲诈行径促使英国人做出巨大努力——他们不仅要以几乎是2∶1的比例，建造比德国人更多更好的战舰，而且还同法国和俄国制定了防御计划。这些都牵涉殖民地的交易：在1904年，英国人与法国人签订《英法协约》（*the Entente Cordiale*）[1]，以承认法国对摩洛哥的控制权来换取法国承认英国控制埃及。在1907年，他们又与俄国人达成有关波斯的协约。如果发生纷争，英法俄各方的海军就会基于已经达成的非正式协定做出反应。而对于英法俄的每一步行动，德国的反应都显得笨拙草率、气势汹汹：在1905年，德国要求得到处于无主状态的摩洛哥的部分土地；在1909年，它则鼓励奥匈帝国轻率地进攻巴尔干半岛各国；而在1911年，它又把军舰派到了摩洛哥。在德国国内，这种“耀武扬威”的方式

---

① 英法协约，又称挚诚协定，是指1904年4月8日英国和法国签订的一系列协定，它标志着两国停止关于争夺海外殖民地的冲突而开始合作对抗新崛起的德国威胁。在协定中，双方就一系列国家和地区的控制权达成了一致，包括埃及、摩洛哥、马达加斯加、中西非洲、暹罗（泰国）等地。协约同时也对两国在“一战”中的政治和军事合作奠定了基础。——译者注

得到了大部分舆论的欢迎，却制造了一种国际危机来临的氛围。到了 1914 年，美国总统的特使谈到，军国主义政策已经变得越来越疯狂。

就在那个时代，国家出现了一种新的状态，而且这个世界自那时起就一直与它共存。在 20 世纪 60 年代，艾森豪威尔（Eisenhower）[①]总统为这种状态找到了一个恰当的名词："军事–工业复合体[②]"。战争工业成为经济生活中最强有力的要素，战争雇用了成千上万的人员，获得了大量财政预算，并由此大大促进了各行各业，包括报纸专栏写作的发展。此外，军事工业往往会造成令人眼花缭乱的变化：看上去愚蠢至极的花费，结果过段时间却发现是非常必要的（飞机就是一个明显的例子）；而看似必要的花费，结果却成了毫无用处

---

① 德怀特 · 戴维 · 艾森豪威尔（1890~1969），美国陆军五星上将，"二战"期间美国驻欧洲盟军司令，战后任哥伦比亚大学校长，美国第 34 任总统（1953~1961 年）。——译者注

② 军事–工业复合体，也称军事–工业国会复合体，中文语境中也简称军工复合体，是艾森豪威尔总统在告别演说时使用而后普及的用词。在美国外交中，它指的是侵略性的外交或军事政策中获益的某些特定的利益集团。军事–工业复合体的社会实体主要由四部分构成：行政部门内的军事机构、工商业、国会、学术和学科团体。这四个部分之间是有组织的、互补的利益关系。由于这些互补利益的存在，军工复合体推行遏制和威慑的对外政策，是军备竞赛和武器扩散的重要动力源。——译者注

的浪费（堡垒要塞则是另一个明显的例证）。技术在变得昂贵和难以预测。到了1911年，欧洲出现了军备竞赛。在当时，任何一个国家的军事力量都成为其他任何国家扩张军备的借口，特别是地中海和巴尔干半岛出现危机时，每个国家都感到自身的脆弱。当德国在1911年夏天派军舰到摩洛哥时，它的枪上了膛却一弹未发。古怪的是，扣动扳机的却是意大利。

如果说土耳其帝国的领土要被瓜分，那么，为什么意大利就不能分杯羹呢？英国人得到了埃及，法国人占领了北非。意大利帝国则把目光投向了世界其余的地方，并发动了战争。现代欧洲史上的一件怪事就是，列强中最弱的意大利，在还没有加富尔①、俾斯麦、墨索里尼和希特勒式人物的情况下，却把问题弄得白热化了。[3]在当时，意大利发起了一

① 加富尔（1810～1861），撒丁王国首相、意大利王国第一任首相。1852年11月出任撒丁王国首相。1859年1月与法国拿破仑三世签订秘密条约，缔结反奥同盟，条约规定：法国帮助撒丁王国击败奥地利，建立北意大利王国；撒丁王国把萨伏依和尼斯割让给法国作回报。当年4月撒丁与法国联合对奥开战，取得胜利，收复伦巴底，但将萨伏依和尼斯割让给法国，遭反对，加富尔被迫辞职。1860年复首相职，利用高涨的人民革命形势，推动托斯卡纳、帕尔马、摩德纳与撒丁王国合并；同时又利用加里波第对国王维托里奥·埃马努埃莱二世的忠诚，将西西里王国并入撒丁王国，实现了意大利的统一。意大利王国于1861年3月17日正式成立后，加富尔出任第一任首相。同年6月6日在都灵病逝。——译者注

系列导致 1914 年战争爆发的事件。在发生了两次摩洛哥危机（Moroccan crisis）[①]之后，意大利深知，英国人、法国人和德国人不会采取任何行动阻止它。于是，它攻击了奥斯曼土耳其帝国并试图夺取利比亚。土耳其人过于虚弱不堪，没有舰船能够保卫远离安纳托利亚沿海的岛屿，因此意大利人占领了这些地方。奥斯曼帝国解体的前景，促使巴尔干半岛各国第一时间宣布各自的利益所在。在 1912 年，这些国家结成联盟发起进攻，在几周的时间里，它们就赢得了胜利，把奥斯曼帝国的军队清除出了巴尔干半岛。随后，在第二次巴尔干

① 两次摩洛哥危机，指在 1905 年和 1911 年，英法德等欧洲列强在摩洛哥的控制权问题上发生冲突引发的危机，两次危机强化了英法关系，激化了德国与英法的矛盾，是导致“一战”爆发的重要因素。——译者注

半岛战争[1]中，联盟内部发生分裂，战事再起。土耳其人的势力有所恢复，但赢家则是与俄国紧密合作的塞尔维亚，以及与英国密切合作的希腊。

10年前，在中国陷入解体的时候，列强已经形成对抗。在那时，各国主要是通过海军较量。如果奥斯曼帝国瓦解——当时几乎没人期望它能支撑下去——那么，对抗就会发生在列强的本土，会涉及领土关系和陆军力量的对比。连接黑海和马尔马拉海的博斯普鲁斯海峡，以及连接马尔马拉海和爱琴海的达达尼尔海峡，对俄国来说事关生死，因为它们是俄国经济的命脉。维持俄国南部各行业运转的90%的谷

① 第二次巴尔干半岛战争（1913年6月16日~1913年7月29日），是指在第一次巴尔干战争（1912年）中获胜的巴尔干半岛各国，因分配不均而发生的内部战争。战争以保加利亚为一方，塞尔维亚、希腊、门的内哥罗（黑山）、罗马尼亚和奥斯曼帝国为另一方，保加利亚认为与土耳其作战中他们出力最多，所以希望能多分土地，因此在奥匈帝国的支持下，保加利亚便于1913年6月29日向塞国及希腊宣战。保加利亚不久就陷入困境，因为门的内哥罗、罗马尼亚也宣布参战，并加入塞尔维亚一方。土耳其为了收复亚德里亚堡，也从东进攻。在四面受敌的困境下，保加利亚国王斐迪南一世宣布投降。战争不但没有解决巴尔干半岛的矛盾，反而促使矛盾更加尖锐化。因为经过这次战争，塞尔维亚实力大为增强，阻碍了奥匈帝国在巴尔干半岛的扩张，而巴尔干战争推动了波斯尼亚和黑塞哥维那的民族解放运动。两地人民要求摆脱奥匈的统治与塞尔维亚合并，必然引起奥塞之间的冲突，同时俄国则借由塞尔维亚插手巴尔干半岛事务，奥塞冲突不可避免地要导致协约国和同盟国两大集团的军事冲突。致使欧洲列强之间的矛盾进一步激化，加速了第一次世界大战的爆发。——译者注

物出口和其他许多重要物资的进口，都要经过这个海上通道。在 1911~1912 年的意大利战争期间[①]，土耳其人关闭了达达尼尔海峡，俄国南部经济立刻停滞不前，因此，就俄国而言，确保两大海峡的安全是至关重要的事情。1914 年年初，协约国强迫土耳其人给予安纳托利亚东部类似自治的权力。这个地区的大部分省份是亚美尼亚人的居住地，这可能招致奥斯曼帝国的终结（同时还有英法对阿拉伯各省的兴趣），因为信仰东正教的亚美尼亚人可能会成为俄国的工具。而就在条约可能被批准之前，土耳其人已开辟了与德国政府联系的新通道。

与英法俄等列强完全相反，德国是对土耳其人威胁最少的大国。德皇把自己标榜为伊斯兰教徒的保护者，并在伊斯坦布尔的亚洲一侧的海边建造了一座巨大的德式火车站，赠给土耳其苏丹，作为表示对他赞许和支持的标志。1913 年年

① 这里所说的意大利战争，即指 1911 年 9 月到 1912 年 10 月的意土战争，又称的黎波里塔尼亚战争或利比亚战争，是意大利为夺取奥斯曼帝国的北非省份——的黎波里塔尼亚和昔兰尼加（今利比亚）而发动的一场侵略战争。在战争中意大利开创了使用飞机完成军事任务的首例，引起世界各国的瞩目和效法，从而大大促进了军事航空事业的发展。意土战争开创了飞机参战的新纪元。——译者注

底，德国将军利曼·冯·桑德斯（Liman von Sanders）[1]，事实上成为驻扎在连接黑海和爱琴海两大海峡的土耳其第一集团军的司令，俄国人对此予以强烈反对，但却无法阻止德国把军事顾问团——包括几十位高级军事专家派到土耳其。无论如何，在伊斯坦布尔的新政权中，最重要的人物很显然是支持德国人的恩维尔·帕夏[2]。他讲一口几乎完美的德语，有着令德国人羡慕的军事活力。恩维尔与其他“青年土耳其

① 利曼·冯·桑德斯（1855~1925），出身于波美拉尼亚斯托尔普的庄园主家庭，是一位改宗的犹太人。因此，按照呆板的德国政府思维，他是处理以奥斯曼帝国解体为核心的东方问题的合适人选。从1913年到“一战”结束，他长期任职奥斯曼帝国陆军高层，对该国军队的现代化做出了重大贡献，并曾指挥该国军队在“一战”中取得很多战役的胜利。“一战”后曾遭拘押，后无罪释放。1925年病逝于慕尼黑。——译者注。

② 恩维尔·帕夏（1888~1922），原名马特·伊斯梅尔·恩维尔，青年土耳其党人领袖。在1908年的土耳其革命中起到了重要作用，也是第一次世界大战期间奥斯曼帝国的三巨头之一。“一战”帝国失败后，他流亡苏俄，因在中亚从事反对苏俄的活动。1922年8月4日在帕米尔高原被苏军击毙。1996年8月4日，土耳其共和国政府将他的遗骸从塔吉克斯坦接回，为其举行国葬。——译者注

党人[1]”，大多数来自巴尔干半岛各国，并最先在那里学到了推进“国家建设”的方法——推行一种新语言、崇尚军国主义思想并驱逐少数民族。德国对他们有着巨大的吸引力，而他们的政治对手则是英国和法国。考虑到两次巴尔干战争后接踵而至的绝望情绪，暂时控制土耳其政权的恩维尔和他的朋友们决定邀请利曼·冯·桑德斯。俄国的噩梦是德国控制博斯普鲁斯海峡和达达尼尔海峡。因此，1913 年 12 月德国军事顾问团抵达西鲁克兹火车站，这一举动标志着 8 个月后爆发的那场战争已经进入了倒计时。

俄国非常害怕德国人控制两大海峡。但是，德意志民族怀有一个帝国梦，或者更准确地说是中欧梦，因为奥匈帝国长期以来也在寻求在近东的商业和政治影响，而且，奥匈帝国的贸易并非远远落后于德国的贸易。那个时代的许多重大

---

① 青年土耳其党，1889 年 5 月，伊斯坦布尔医学院的学生建立了一个反专制统治的团体，取名奥斯曼同盟，后改名为同盟进步委员会，欧洲人称它为“青年土耳其党”。很快，许多青年学生、军官、知识分子和国外流亡者参加了该党。青年土耳其党代表资产阶级和自由派地主的利益，主张保持奥斯曼帝国的领土完整，反对专制制度，要求恢复 1876 年宪法。1908 年该党控制了马其顿地区的部分军队。1909 年年初领导和发动土耳其资产阶级革命。4 月该党执掌政权，随后推行大“奥斯曼主义”，镇压帝国境内民族解放运动，对外奉行亲德政策。第一次世界大战爆发后加入德奥同盟国集团作战，战败后于 1918 年 10 月签订丧权辱国的《穆德洛斯停战协定》。——译者注

国际争论，其中之一就是德国倡导的连接柏林和巴格达的铁路问题——德皇作为礼物赠给苏丹的那个火车站就是这个铁路的组成部分。到了1914年，一座新的德国驻土耳其大使馆已在伊斯坦布尔建成（该官邸因屋顶上刻有豪华的鹰像，而被称为“鸟笼”）。在多玛巴切皇宫[①]，傀儡苏丹，只能满腹怨恨、提心吊胆地走来走去，而德国大使则能在大使馆怒视博斯普鲁斯海峡。恩维尔和土耳其青年党人让苏丹沦为摆设，到此时为止，俄德之间的对抗多少都是间接性的，涉及的仅仅是德国对奥匈帝国并不热情的支持。可是，接下来在事关俄国根本利益的问题上，俄德之间发生了直接摩擦。

两国的冲突伴随着一种更为普遍、已然强化的紧张感爆发了。1911年之后，军备竞赛不断加剧。新型飞机和超无畏级战列舰出现了，各国征召越来越多的士兵，修建越来越多的战略铁路。土耳其位于欧洲边界，如果出现外交危机，奥匈帝国、德国和俄国的军队都会受到影响。在1914年之

① 多玛巴切皇宫，是奥斯曼帝国后期仿欧式建筑建造的皇宫，又称新皇宫，始建于1843年，1856年完工，位于今伊斯坦布尔欧洲部分，能够俯瞰博斯普鲁斯海峡。它是奥斯曼帝国最后6位皇帝生活的地方，也是土耳其共和国国父凯末尔生前生活和办公的场所。——译者注

前，国际贸易空前繁荣，各国政府都有钱可花。1911 年德国军费支出的温和增长（培训更多的士兵）就会引发法国在 1912 年做出反应（也就是在和平年代培养更多的士兵），随后这又会激起德国（和奥匈帝国的）新的反应。在 1913 年，军备竞赛过程中出现了一个决定性的事件，即出现了一个意在把俄国变成“超级大国”的“伟大计划”。该计划旨在为俄军提供比德军更多的枪炮。该计划允诺俄军能够为远多于现役的士兵提供衣食，并进行有效输送。在制订这个计划之前，俄国的人口比德国多 3 倍，但由于缺少资金，俄军人数并不比德军人数多，而且枪炮数量也远远少于德军，战略铁路也是一样。实施这个计划之后，这一切都将发生变化，而且将是急剧的变化。特别是战略性铁路的建设让德国胆战心惊。到 1914 年，曾在圣彼得堡出任英国大使的阿瑟 · 尼克尔森爵士对英俄两国结盟暗自庆幸、欣喜不已。

但在柏林，这个计划却造成了恐慌。在那个时代，人们很容易发现潜在的敌人在干什么。军队必须靠火车运送，车站站台的长度会使敌人的战争计划暴露无遗；而且，没有人会限制旅行和拍摄，一个奥匈帝国的情报官员甚至可以拿着一本自己的护照在俄国南部四处旅行，而护照上职业一栏竟然登记的是“总参谋部军官”。在某个偏远之地，在正常情况下，那里乘客很少，铁路职工甚至要讨好那里带着小鸡的农妇乘坐火车，可那里的站台却长得令人起疑，这意味着骑兵或步兵已经被运到了那里的某个地方了。再有，那个时代每个国家都有议会，议会记录则是公开的，人们甚至能在每天的报纸上读到它们。因此，柏林和维也纳方面很容易了解到，1914 年的春天，俄国人正在把他们的经济实力集中用到军事事务上。德国宰相特奥巴登 · 冯 · 贝特曼 · 霍尔维格（Theobald von Bethmann Hollweg）[①]本人就目睹了俄国不断增长的实力，因为在当时，金本位制维持了俄国的货币稳定，铁路也把各个层面的供求关系都联结了起来。各类科技杂志都显示出了俄国取得了非凡的进步——一辆俄国卡车在目的地为里加[②]的欧洲长途汽车比赛中获胜，一位理论物理学家乔尔可夫斯基论述了终将携带人造卫星摆脱地球引力，飞向太

① 特奥巴登 · 冯 · 贝特曼 · 霍尔维格(1856~1921)，德国政治家，于 1909 年至 1917 年间任德意志帝国首相。——译者注

② 里加，今拉脱维亚首都。——译者注

空的公式。圣彼得堡仍有可能是未来欧洲的首都。毫无疑问，贝特曼·霍尔维格非常富有才智，他知道德国要勉为其难地适应这一切。他的儿子曾问他，是否在他位于霍亨菲诺的勃兰登堡庄园栽种一些成长期很长的榆树。这位首相答道：不，那只有俄国人会得到好处。在这件事上，霍尔维格是正确的。30年后，俄国人确实到达了勃兰登堡，而且接下来又在那里驻扎了50年。但贝特曼·霍尔维格本人是一位宿命论者，可是他屈服于那些没有怀疑精神的人们。在当时，军人们猛敲着桌子大吼道：德国现在能赢得战争，但如果再等上两三年，那时俄国就会变得太强大。

俄国军队的规模和力量不断增长，这对德国来说足够糟糕。铁路的快速发展带来了恐慌。1908年以后，俄国加入到了自我驱动的工业化进程之中。这样的工业化进程早已发生，最突出的例子就是美国和德国。俄国当然拥有庞大丰富的资源，但开发程度非常低，一方面是因为运输还是个问题，另一方面是因为没人相信纸币。随着铁路的建设和黄金供应的增长，在 1909 年，俄国首相彼得 · 斯托雷平[①]对一位法国记者说："给这个国家 20 年的内外和平，您就将认不出来这个国家了"。到了 1914 年，俄国的预算收入翻了一番，其中一部分资金用于建设能比以前更快地把军队运送到前线的铁路。在科隆每天大约有 700 列火车运送上下班的乘客，如果以此作为比较标准，在 1910 年，调动俄军需要 250 列火车；到了 1914 年，这一数字上升到 360 列；而到了 1917 年，则进一步上升到 560 列。更强大的运输能力允许俄军在德国调兵后的第 3 天，就能够准确和全面地部署部队在边界地带。换言之，在 1917 年，我们就能够预见到 1945 年的形势——英军占领了汉堡，俄军占领了柏林，德军则要向贝特曼 · 霍尔维格之子曾想栽种榆树的勃兰登堡说再见。

① 彼得 · 阿尔卡季耶维奇 · 斯托雷平（1862~1911），俄国政治家。曾任格罗德诺州和萨拉托夫州州长。因镇压农民起义受尼古拉二世宠信。1906 年任首相兼内务大臣。1907 年发动"六三政变"，解散第二届国家杜马，建立军事法庭残酷镇压工农群众，从而开始了"斯托雷平反动时期"。但他推行土地改革，使得 200 万农民退出村舍，成为富农，活跃了当时的经济，史称斯托雷平土地改革。1911 年遭社会革命党人暗杀。——译者注

德国将军在公共事务中的优势地位，是其他国家的将军所无法比拟的。但如今他们开始恐慌了。面对法俄联盟，德国的战争计划已昭然若揭。俄国仍然是一个落后国家，它所拥有的铁路仍然远远少于西欧列强；如果战争打响，在法军溃败的时候，俄军只是刚刚完成集结。在这种情况下，德军总参谋长施里芬伯爵[①]在1897年指出，德军有充裕的时间再现1870年打败法国的胜利，接下来再对付俄国。可德军的调动将会是一项巨大的任务——100万称职的铁路工人要在17天中，在超过4万英里的双线铁路上，动用3万辆火车头、65 000节客车车厢和70万节货车车厢，运送300万士兵、86 000匹战马和大堆大堆的战略物资，尤其是枪支弹药。一个集团军就需要6 000节车厢，一个骑兵师也需要1 200节车厢。德军确实能够有效地安排好这些士兵和物资，这样，在宣布调动兵力17天后，德军就将在边界地带进入战备状态。与此同时，德国人多年来一直确信俄国人效率低下，因为他

① 阿尔弗雷德·格拉夫·施里芬（1883~1913），德军陆军元帅，卓越的天才战略家。1891年到1913年担任德军总参谋长，提出过著名的“施里芬计划”。——译者注

们的铁路太少，在供水、电报、煤炭储备，甚至站台建设等方面的技术能力都太差。确实，在当时的俄国，协助军队的铁路员工共有 4 万人，其中 1/3 是文盲。但是，所有这些至关重要的设想都将失去真正的基础，因为列强关系中出现了另外一个因素：德国唯一的真正盟友奥匈帝国不久就要解体。

奥匈帝国行将瓦解的迹象，随处可见。在一个民族主义时代，这个庞大的多民族国家本身就是一个时代的错误（它的帝国国歌《上帝保佑吾皇弗朗茨》有 15 种语言版本，包括一种意地绪语版）。而且，维也纳在外交上并没有运用好平衡策略。在奥匈帝国控制的南斯拉夫，当最重要的南斯拉夫民族塞尔维亚在巴尔干战争中获得胜利之时，它的榜样力量激起了许多反对奥匈的政治运动。维也纳是如何反应的呢？一个切合实际的方案是在维也纳的控制下，把所有南斯拉夫各族联合成一个所谓的南斯拉夫国家，对此，明智的塞尔维亚人是会支持的（在奥匈帝国中，他们经常这样教育自己）。但是，真正掌控帝国的匈牙利人却不想出现第二个民族国家。这样，在1914年时，维也纳就没有提出任何解决办法。根据泰勒[①]的说法，维也纳只是在静观事态发展，或者更确切地说，是希望一切问题自行消失。但是，事件还是发生了，而且突如其来地导致了第一次世界大战的爆发。在《布列斯特和约》签订期间，奥匈帝国的外长切尔宁伯爵则换了种说法，他指出："我们必定要消亡。我们可以自由地选择消亡的方式，不过，我们选择了最糟糕最恐怖的一种。"

1914年6月28日，奥匈帝国的皇储弗朗茨·斐迪南大公在南斯拉夫的心脏地带波斯尼亚首府萨拉热窝遇刺身亡。哲学家们往往认为这是一桩"不可避免的事件"，而实际上却是一起完全偶然的事端。一些年轻的塞尔维亚恐怖分子计划在皇储进行国事访问之际暗杀他。他们本来已经搞砸了这份差事，虽然投掷了一颗炸弹但没击中目标，他们中有一个人跑到路边的咖啡店去调整自己的情绪。大公驱车继续前往总

① 艾伦·约翰·珀西瓦尔·泰勒（1906~1990），20世纪英国最著名和最具争议的历史学家之一。积极介入现实政治，是著名的公共知识分子。一生著述颇丰，其中《德国历史进程》和《第二次世界大战的起源》好评如潮，却也争议不断。——译者注

督波蒂奥雷克[1]的司令部（在那里，他接见了一些民俗表演团的小姑娘），并对总督进行了严厉斥责。随后，他愤怒地离开了司令部，要去医院探望在稍早的爆炸中受伤的一位官员。这样，大公的汽车再度出发，哈拉赫伯爵站在汽车的迎宾踏板上。汽车在穿过萨拉热窝河的一座桥梁后，司机驾车向左拐去，但发现走错了路。司机被告知停车掉头向回开。在倒车时，这类汽车有时会熄火，而大公乘坐的这部车正好出现了这种情况。我们前文提到，塞尔维亚暗杀组织中有个成员跑到一家咖啡厅里稳定自己不安的情绪，正是从那个咖啡厅的位置能看到，哈拉赫伯爵站在了车的另一面。此时，加夫里洛·普林西普的暗杀目标缓慢地向上行驶并停了下来，那位稳定了情绪的杀手开枪了。普林西普年仅 17 岁，是一位受过民族主义和恐怖主义训练的浪漫主义者，也是一个从 19

① 波蒂奥雷克，也译为波提奥列克，1913 年到 1914 年“一战”爆发前，担任奥匈帝国驻波斯尼亚和黑塞哥维那的总督。1914 年 6 月 28 日，他邀请斐迪南大公到萨拉热窝进行检阅，由于这一天是塞尔维亚于 500 年前被土耳其打败从而丧失独立地位的纪念日，因此在这一天阅兵被认为是对塞尔维亚的挑衅。由于大公曾阻止患有神经衰弱的波蒂奥雷克接替一位年老的崇拜者出任总参谋长，因此两人成了多年的对手。鉴于此，有理由怀疑波蒂奥雷克是暗杀斐迪南大公的共谋，不过在“一战”爆发后，波蒂奥雷克却成为了奥军进攻塞尔维亚的指挥官。——译者注

世纪俄罗斯虚无主义者中发展出来的一个成员，而这个组织尤其以陀思妥耶夫斯基的《群魔》（*The Possessed*）和约瑟夫·康拉德的《在西方目光下》（*Under Western Eyes*）中的人物作为榜样。奥匈的法律不对未成年人执行死刑，普林西普还很年轻，因此得以幸存。他被关押起来并于1918年去世。在他死前，监狱里的一位心理医生曾问他是否对自己那导致"一战"爆发的行为和数百万的死伤有任何悔意。他回答说，如果他没做那件事，德国人也会找到别的借口。

在这一点上，普林西普说对了。柏林在等待发生"不可避免的事件"。在一段时间里，德军一直在说它此时此地能够赢得一场欧洲战争，但是一旦俄国站稳脚跟，情况就会失控。德国人预计这一转变可能会发生在1917年，到那时，俄国的战略铁路将能够以德国人的速度快速地来回运送军队。现在，潜在的有利条件和不利条件很杂很多——德国唯一的朋友在解体，要么在近东和中东出现德意志帝国，要么诞生一个超级大国俄国。人们可以日复一日地信口开河漫谈所有这一切，但是，现在这些问题已经迫切地摆在德国人面前。德国的创建者俾斯麦能够非常英明地捕捉到偶然事件，并利用它们把他的敌人们引到错误的方向上去。俾斯麦的雕像矗立在无数的城镇中，他的继承者都想弄明白他是怎么做到如此英明的。如今，1914 年，又一桩偶然事件发生了：斐迪南大公遇刺身亡。奥匈帝国的外长一直想知道如何把德国牵连进来。霍约斯伯爵被派到柏林来确定到底该怎么办。这是一个正在寻找开战借口的国家。

在战争失败之后，几乎所有卷入决策的人们，包括德国首相、奥匈帝国的外长和差不多全部的德军军官，都毁掉了他们的私人文件。我们要想真正了解 1914 年时柏林发生了什么事，只能借助长途电话的通话内容、阁楼中被遗忘的东西和一份内容非常多的文献——贝特曼 · 霍尔维格的秘书库尔特 · 里茨勒（一位犹太人）[4]的日记。在他的日记中，1914 年 7 月 7 日是毁灭性的一天。当天晚上，这位年轻人与胡须灰白的贝特曼 · 霍尔维格首相坐在一起。他们亲切交谈，里茨勒知道，首相虽然在倾听，但他其实是要抓住命运的最后一根稻草。这一天日记中关键的一行字是："俄国在变强变大，它已经成了一个噩梦。"贝特曼 · 霍尔维格指出，将军们都确信必须发动一场战争，否则就来不及了。现在，德军拥有一个完全可行并将获得成功的大好机会。要是到了1917年，德国就没任何指望了。因此，如果俄国人现在就进行战争，那么，对德国来说，1914年要比以后合适得多。而且，如果俄国率先宣战，西方列强有可能抛弃俄国，在这种情况下，协约国集团就会分裂。总之，不论哪一种出现情况，德国都将是赢家。

在紧锣密鼓地进行密谋的过程中，决策层的很多人展现出一副无辜蒙冤的样子，就好像他们没有参与一样——德皇坐着他的游艇出游了，外交部部长在度蜜月，总参谋长则在游泳。不过，在自己庄园中的贝特曼·霍尔维格却以一种最古怪的方式证明那一切都是假象。有一份没被毁掉的记录显示了他的开支。而且他的开支有所增加。在贝特曼·霍尔维格假装度假期间，他几次前往柏林。由于小气，他都要国家支付费用。为了可能爆发的战争，他往返几次，安排国家的财政（当然，可能也有他自己的财务，他可是出身于银行世家），收取债务和审慎地买卖债券。一位特殊的情报人员通知汉堡的沃伯格家族[①]应该做的事情。柏林打算发动战争了。

奥匈帝国外交部有一位脾气火暴的外交官，他曾把斐迪南大公被谋杀一事称为“战神马尔斯赠送的礼物”——一个解决所有问题的奇妙借口。他认为奥匈帝国将重现辉煌，俄国会乖乖就范，甚至土耳其也可能会被接管。在6个星期里，就能赢得一场俾斯麦式的胜利。正像德皇威廉二世所说：“要么现在，要么永不”。德国要战争，斐迪南大公遇刺身亡正好是一个完美的机会。奥匈帝国意识到：要利用这个机会进攻俄国的附庸塞尔维亚，他们发布最后通牒，其中包括塞尔维亚无法接受的会丧失独立地位的要求。从事态的进展来看，奥匈帝国根本没有热情与俄国打仗——塞尔维亚可以打，但俄国太大了。奥国把它的担忧变成了拖延——要安抚匈牙利

① 沃伯格家族（Warburgs），发迹于德国汉堡，与罗斯柴尔德家族一起被称为“犹太皇族”。该家族的兴起和发展过程中得到罗斯柴尔德家族的帮助和支持。但总体上来说，自从16世纪以来，沃伯格家族在德国银行业已经活跃了几百年。到了20世纪，沃伯格家族走出德国，不仅对美联储的建立发挥了关键作用，同时也对“二战”后的欧洲债券市场的形成做出了重大贡献。直到现在，沃伯格家族的后人仍在西方金融界续写着传奇。——译者注

人，要收割庄稼等。柏林方面则审慎地敲打着桌子，进行督促，1914年7月23日，奥国发出最后通牒。25日，塞尔维亚有保留地予以接受，与此同时，奥国宣布进行军事动员，但仍没有宣战。德国政府则发出了更多的催促声，28日，奥匈帝国对塞尔维亚宣战。

此时，俄国面临的挑战，显而易见：它能保护自己在巴尔干半岛的地位吗？进一步说，它能确保在奥斯曼帝国和土耳其海峡[①]的未来局势吗？起初，沙皇完全不相信正在发生的一切（当德国大使最终将德国的宣战书呈交给沙皇时，他眼含泪水，接受了这一事实）。也许只是动用一部分军队，单独对付奥国？德皇本人也曾重新考虑过战争问题，因此，才有许多俄德两国皇帝的电报交流。在战争即将爆发的时候，贝特曼·霍尔维格首相似乎也曾对战争有所怀疑。但在当时，德军将士则坚持己见，因为他们有理由认为他们拥有不可动摇的力量。这一切都取决于铁路。拥有铁路就将赢得战争。

---

① 土耳其海峡，又称黑海海峡，是连接黑海与地中海的唯一通道。土耳其海峡呈东北–西南走向，海峡全长334公里，包括博斯普鲁斯海峡、马尔马拉海和达达尼尔海峡三部分。海峡不仅是黑海周围国家的出海口，也是多瑙河沿岸国家对外联系的通道之一，地理位置十分重要。——译者注

第一章　爆　发

如果一个大国能够设法在征召和运输 100 万军队方面取得领先，那么，它就能够在其他国家的军队准备就绪前到达敌人的边界。在 1870 年的普法战争中，这种情况就曾发生过，当时法军的部队运输一团糟，而德军的参谋人员则高效地完成了这项工作。实际上，法军在 6 周的时间里就被包围和俘虏了。在 1904 年到 1905 年的日俄战争中，也曾发生一次因铁路供应不足导致的灾难，当时，两个大国因在中国的利益而发生冲突，由于跨西伯利亚铁路无法解决供应问题，俄国不得不寻求和解。现在是 1914 年，每位参谋都担心敌军会率先采取行动，德国人为此坚持要求奥匈帝国针对俄国进行全面动员，他们认为只要这样，“铁骰子就会滚动起来”。德军本身明显想打一场战争，而且已经决定进行动员，而就在此时，俄国人送给了他们一份大礼。7 月 31 日，圣彼得堡宣布总动员，这刚好发生在德军宣战前夕。这也意味着德军的军事调动可以说成是出于防御。考虑到帝国国会中潜在的反对力量，这一点十分重要。在当时的情况下，社会民主党人没有制造任何麻烦，他们投票支持战争。德国大使向俄方呈交了一份要求俄国结束动员的照会，在遭到拒绝时，德国于 8 月 1 日宣布进行战争。德国的战争计划是想立刻进攻法国，为此，列车立刻启动。巴黎收到一份最后通牒，大意是法国必须宣布中立，并做出保证。在这种通牒被拒绝后，法德之间随后也在 8 月 3 日爆发了战争。

德国还需按下最后一个战争按钮。德军不可能真的直接进攻法国，因为在并不长的法德边界上，双方的防御工事都非常强大。德军只能通过比利时平原侵入法国，可比利时是个中立国，而且它的中立地位得到了包括英国和德国在内的列强的保证。如果德国入侵比利时，英国人会采取什么样的行动呢？根据条约义务，这种情况只能被怒斥为战争行径。时任海军大臣的温斯顿 · 丘吉尔立刻命令皇家海军进入待命状态。欧洲东面的某个危机，会在西面引发战争，这就是 1914 年时的形势，人们对此早有预见。研究一下威斯特伐利亚地区[①]的铁路情况，就完全能够意识到德军会在战时入侵比利时。但从许多方面来看，英德之间的战争都是不可思议的。德国已是一个榜样国家，有着欧洲最大的社会民主党、最出

① 威斯特伐利亚地区，大体相当于现在的德国北莱茵-威斯特伐利亚州全部及下萨克森与黑森两州部分地区。——译者注

色的地方政府和最优良的教育系统。那么，为什么英国还要站在俄国一方与德国作战呢？正像在1939年出现了德军数量翻了两番这种情况一样，英德开战的原因几乎不需解释。德国打造了一支直指英国各港口但却完全没有必要的海军，并不断对俄国和法国进行攻击性行动。英国内阁成员对于所发生的事情有着完全正确的看法。他们认为，自1850年以来，英国外交政策的核心问题就是选择德国还是选择俄国。如果当时的英国外交大臣现身《布列斯特和约》谈判现场，并表示英国并不反对德国控制欧洲，而且，如果英国在世界范围内的利益得到保障，情况又会怎么样呢？麻烦在于到了那个时候，已经没人相信德国人了。当时英国政坛最聪明的人物戴维·劳合·乔治[1]曾说过，一个控制了俄国资源的德国，将不可被打败，也将难以控制。如果德军没有入侵比利时，那么，英国海军无论如何都会致力于保卫法国大西洋海岸的安全。而德军侵入比利时，给了英国充足的理由进行干涉，

① 劳合·乔治（1863~1945），英国自由党政治家，“一战”期间领导英国战时内阁，并主导战后的《凡尔赛和约》的签订，是英国历史上具有重要地位的政治人物。——译者注

也使许多（尽管不是全部）持怀疑态度的人哑口无言。8 月 4 日，英国政府发布一份最后通牒，要求德军撤出比利时。但德国政府一直没有给予答复，这样，这场欧洲战争就变成了一场世界大战。

第一章　爆 发

说明：

1　法国能够抽出资金，部分地是因为在当时的欧洲，只有法国的人口在1870年到1914年间几乎没有增长，本该为人父母的人们疯狂储蓄。

2　帝国主义思想让帝国主义者和他们的教授跟班们更强大，这当然是事实，但代价也是巨大的。在这个问题上，韦伯本人也学到许多东西。在那次就职讲演之后，韦伯成了一位民族英雄，并吸引了一位非常聪明女性的注意，她把他带入了一个他完全不了解的世界。在当时的大部分时间里，他的精神处于极度紧张的状态。因此，他似乎明白了教授和博士们真的无法垄断智慧。他更成熟了。1914年，德国文化界的一千多位重要人物，几乎都在一份“知识分子请愿书”上签了名，支持韦伯在就职讲演中提出的主张。而韦伯本人则到西线做了一位医疗助理。

3　甚至党员要身着特殊制服的想法，希特勒也是从墨索里尼那里学到的，墨索里尼选择了黑衫党服。在当时堆放着各色制服的市场中，他碰巧看中了褐色制服。这批货物是为在东非的德军准备的，并被存在土耳其东南部的一个地方，一位很有胆量的奥地利人获得了这批制服并运回欧洲销售。

4　有几位具有中欧血统的人士著有关于20世纪的传记，里茨勒的传记是其中之一。里茨勒是一位重要的哲学家他学识渊博，写有讨论巴门尼德的著作，也是普鲁士研究院院长（直到希特勒上台时为止）、画家马克斯·利伯曼（Max Liebermann）的女婿。他曾任职德国外交部新闻处，并成为了贝特曼·霍尔维格的私人秘书，与后者共处了很长一段时间。在1917年，由于贝特曼·霍尔维格下台，里茨勒成为了外交官，负责安排列宁抵达斯多哥尔摩有关事宜。接下来在经过一番筹划之后，他又在20年代与支配德国的社会民主党人建立了联系，并成了社会民主党人艾伯特总统的私人秘书。但他政治上“左倾”，并成为了新马克思主义法兰克福学派的教授。在1933年，里茨勒移民美国，并在芝加哥大学任教。在芝大期间，他曾利用其影响力否决了卡尔·波普尔——当时还是身在新西兰的流亡者（来自奥地利）——教授职位的候选资格。1945年，核物理学家利奥·西拉德为抗议投放原子弹，想与罗斯福总统直接取得联系。他需要一封介绍信，为此，他寻求阿尔伯特·爱因斯坦的支持，并得到了帮助，这促成了他与埃莉诺·罗斯福面谈。可是，罗斯福总统本人随后就去世了。爱因斯坦的介绍信转给了罗斯福的接替者杜鲁门。但杜鲁门总统安排了一个判断投放原子弹是否合乎道德的委员会。库尔特·里茨勒不相信杜鲁门竟然成了总统。他的建议是支持投放原子弹。

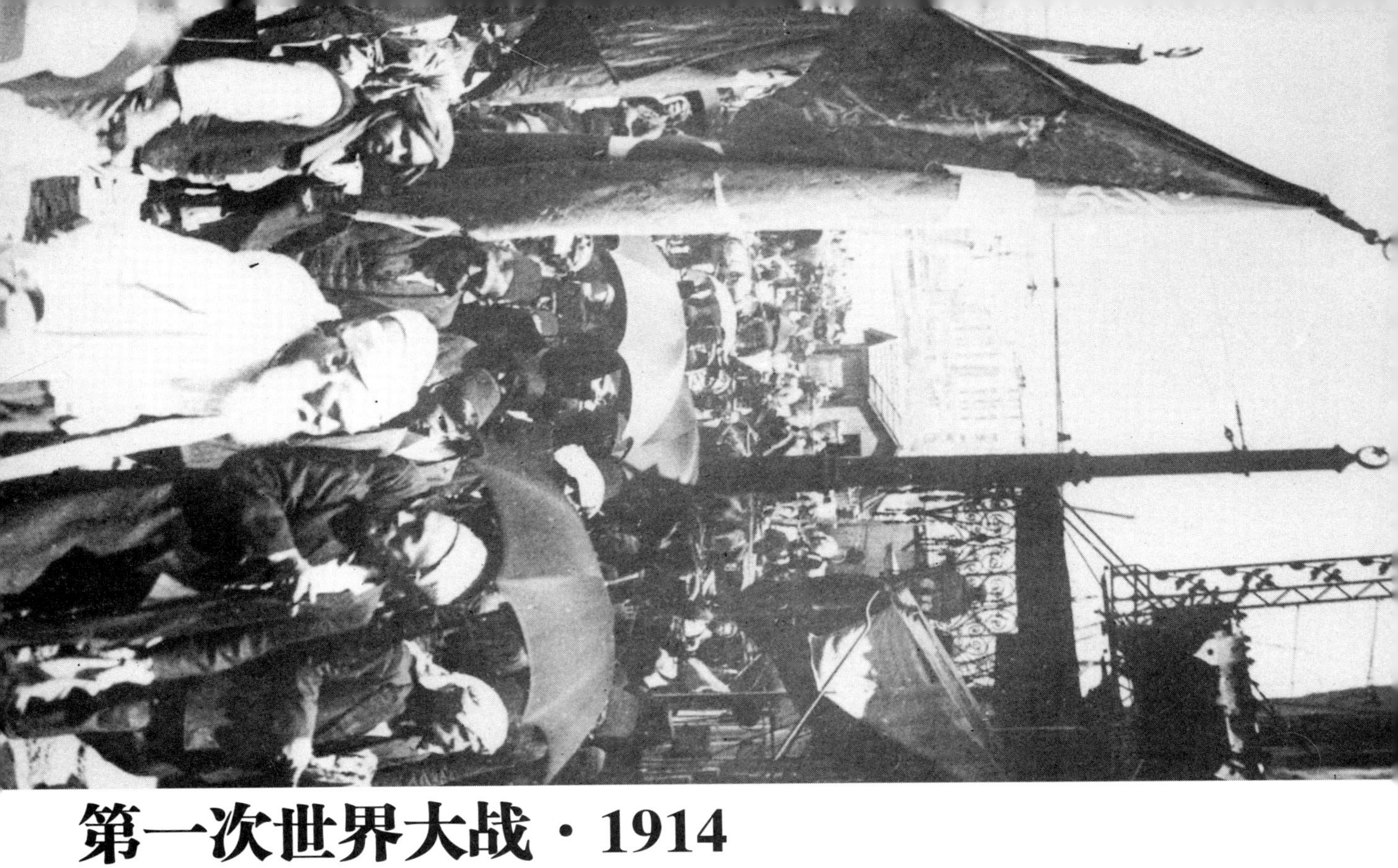

第一次世界大战·1914

伊斯坦布尔土耳其军队的征兵现场，1914年10月

第二章 1914

在 4 年的时间里，世界就经历了从 1870 年到 1940 年的重大变化。在 1914 年时，骑兵聆听着激动人心的音乐，缓慢前行。奥匈帝国的克拉里 · 阿尔德林伯爵身穿一套在白金汉宫的特别演出服。战争初期的图片显示，炮弹在头顶爆炸的时候，佩带着刺刀的士兵仍迈着缓慢而沉重的步子前进。这也是 1870 年时的情景。当时，要塞已经准备好要被长期围困，医疗服务还非常原始，受伤严重的伤员可能很快会死掉。但到了 1918 年，情况已变得十分不同，法国的将军们已经设计出了一种新的作战手段，就是以德军在1940年使用的闪电战方式，使坦克、步兵和飞机协同作战。骑兵连成了博物馆收藏的古董，要塞成了历史遗迹。战争最终成了十足的杀手——可以造成1 000万人死亡——但正如身为医生的法国作家路易·费迪南·塞利纳所说，战争也是一种“防止世界陷入更大混乱的疫苗”。相比于此前此后的任何一个时期，在“一战”这4年中，医学和药物研制都取得了更大的进步。到1918年，仅有1%的伤员会死掉。

不过，从“一战”开始之日起，幻想就主宰着当时的人们。在1914年，面对着欢呼的人群，各路军队整装出发。将军们骑在马背上，梦想着在某个城市广场中会有一座以他们的名字命名的雕像。以彻底误解战争性质的方式开始一场战争，历史上还不曾发生过。也许，英国人的误解最深。1914年8月3日，外交大臣爱德华·格雷爵士[1]在下院进行了一次赢得极大赞誉的演讲，这似乎说服许多持怀疑态度的议员相

---

① 爱德华·格雷（1862~1933），英国政治家，1905年到1916年间出任英国外交大臣，是英国历史上不间断任此职位时间最长的人。任职期间最大的事件就是第一次世界大战的爆发。他对此所做的评论成为人所共知的名言：“灯光正在整个欧洲熄灭；我们有生之年将不会看到它重新点燃。”他同时还是一位著名的鸟类学家。——译者注

信与德国作战是正确的。格雷谈论道：“在这次战争中，无论我们参与其中，还是置身事外，英国都将遭受可怕的灾难。”事后看来，当时的许多英国人都以为这是奇谈怪论。

英国的经济总额近一半来自外贸，同时，德国的经济总额至少三分之一来自外贸，而且，两国大部分外贸生意都是在欧陆各国之间进行。可以预料到，中断贸易会带来失业和破产。另一位内阁大臣（开战时已辞职）曾指出，中断贸易导致的社会问题，会带来另一次1848年革命[①]。要知道，当时在各个城市中，旧欧洲早已确立的秩序都被动乱推翻。由于贸易会受到威胁，因此，银行家们包括英国银行家协会主席腓力克斯·舒斯特爵士（Sir Frederick Schuster）向每个人保证，战争将在半年后结束。将军们自己也都知道，要为数百万人提供衣食和武器装备，还要运送他们，要长时间维持这种运作状态，就必须有足够的资金。于是，银行家们对于战争就又有了一种论点：如何支付战争费用？英法两国的信

① 1848年革命，主要指1848年到1849年间发生在法兰西、德意志、奥地利、意大利、匈牙利等欧洲国家的资产阶级民主、民族革命。这次革命几乎席卷整个欧洲，只有俄国、西班牙和北欧几个国家未受到影响。其中法国的1848年二月革命最为著名。——译者注

用体系非常强大，但德国的公共财政却惊人地脆弱，因为它是一个联邦制国家，有许多地方需要支出。在接受内阁正式质询，国家能够在多长时间里为战争支付资金时，匈牙利的财政部长特里斯基男爵答道：3个星期[1]。3个星期以后，黄金储备将被耗尽（在1914年，黄金作为流通货币是非常常见的），唯一的替代方法就是印刷纸币，但这又意味着通货膨胀——这些脏兮兮皱巴巴的钞票，很快就会被换手，并迅速失去价值。接下来由于贸易中断所引发的社会问题会完全失去控制，穷人会变得更穷，甚至可能会挨饿。1917年俄国爆发布尔什维克革命的时候，这种情况真实地发生了。而且，意大利也几乎步其后尘，它的通胀率达到了700%。银行家们什么都说对了，但就是在掌握时机上出了问题。

参战部队也同样抱着战争会很快结束的幻想——“回家过圣诞节”。俄军最高指挥部要求提供新的打印机，却被告知战争不会持续很长时间，没有理由花费这笔资金，他们必须继续使用那些旧设备。很多将军还承诺每天都给妻子们写信，但不久就没话可说了。有位奥军指挥官躺在铁制的行军床上给别人的老婆写信。而俄军最高指挥部命令除非有外国人在场，否则军队每天都要举行宗教仪式，而且坚决不许喝伏特加。到了 11 月，由于大量需要外国人，唱诗班开始唱《伊戈尔王》(*Prince Igor*)。总之，从一开始，各国的计划都反映出了“短期战争的幻想”——一场直接迅速和规模巨大的进攻，并占领那些事后看来应为下一代妥善管理的资源。另外，与要塞、火炮和骑兵有关的预算，最后证明也都判断错误。

法国北部和比利时地区要塞遍布。从战略角度考虑，它们一般都建在侵略军必须要跨过的众多河流的对岸，尤其是在法德之间那条漫长曲折的默兹河上。那些要塞的名字，比如列日、那慕尔、莫伯日、迪南、凡尔登、图勒和安特卫普等，一再出现在军事史中，甚至可以追溯到中世纪时期。这些要塞造价昂贵，一般都设有数千门大炮。在 19 世纪 80 年代，各国对它们进行过现代化改造，建造原则是要有一个十分强大的堡垒，四周围着一圈碉堡，以使敌军的火炮射程在中心堡垒之外。在 19 世纪 90 年代，火炮的射程变得更远、炮弹变得更重。如果要使要塞继续发挥效力，就必须建造更多碉堡和更精细的防御工事，当时通常都用混凝土进行建造。但到了 1914 年，还是火炮赢得了胜利。重型榴弹炮能够发射射程在10英里左右的烈性炸药，而要塞是非常明显的攻击目标——成了防御者的牢笼。如果他们刚好在碉堡外的土地上挖了一个不易辨识的洞穴，那样，他们的境况会好一些。虽然泥土的预应力很差，但它会比混凝土更轻易吸收烈性炸药释放的能量。在1914年的战斗中，所有被攻击的要塞都很快就陷落了。位于德国与比利时边境上的列日，只坚守了两天。

对骑兵抱有的幻想也破灭了，虽然不像要塞被攻破这样迅速。在克里米亚战争[①]中，英军的轻骑旅冲击俄军炮兵阵地，至少还能够攻击到那些大炮。而在1914年，这已不再有任何可能。一名步兵手持步枪，能够击倒一英里外的战马，可火炮的破坏性要大得多，射程已达3英里。不过，在空旷地带，骑兵还是能够发挥作用，能够发现敌人的位置。在这方面还没有其他重要的替代方法，因为内燃机还处于相对不成熟的阶段——有50辆德国运货汽车翻越山路崎岖的阿登高原，结

---

① 克里米亚战争，是指1853年10月20日因争夺巴尔干半岛的控制权而在欧洲爆发的一场战争。土耳其、英国、法国、撒丁王国等先后向俄国宣战，战争一直持续到1856年，以俄国的失败而告终，从而引发了国内的革命斗争。这场战争中英法联军使用了线膛枪、蒸汽船，大大提高了陆海军作战效能，铁路和电报也使军事行动的后勤指挥产生了革命性变革。——译者注

果几乎全都坏掉了。但战马每天要吃掉10公斤草料，这对后勤供应提出了巨大要求，同时这也正是步兵在补给方面所遭遇的困难。西线的战争就是以法国的重骑兵师和德国的长枪骑兵师炫耀军靴、马鞍和军号开始的。奥匈帝国的军队使用的马鞍，本来是给骑士们设计得十分完美的工具。但天气炎热，马匹又都是从百姓手里征用而来的，漂亮的马鞍摩擦着这些瘦弱动物的背部。给马匹造成了伤害，这使得从突袭进入俄罗斯领土而后返回的法国重骑兵，不得不步行。俄国骑兵对东普鲁士地区进行侦察，也由于粮草不足不得不立刻后撤，而年迈的纳希切万[①]可汗，这位得到沙皇重视的鞑靼骑兵团成员之一（政府感谢了鞑靼骑兵，是因为他们镇压了1905年发生在敖德萨的革命性动乱），还由于标枪的原因没能骑上马。

欧洲人记忆中的战争都是短暂的——尤其是1870年的普法战争——他们没有关注持续时间长且十分血腥的美国内战。因此，每个大国都想发动进攻，德国人最先启动战争计划。他们遵循“施里芬计划”，穿过比利时，在西线发起大规模进

① 纳希切万，今阿塞拜疆古城，纳希切万自治共和国首府，历史上曾并入过沙俄，为鞑靼人世居之地之一。——译者注

攻。该计划认为德军的右翼向巴黎西北方向移动，而法国人重兵防御东部边界，也许他们会试图入侵南德地区。施里芬希望，法国人会中圈套，尽管他在1905年时也警告过，除非德军远比法军强大，否则计划不宜实施。在1914年，德军有170万人。法军有200万人，外加10万英国军人和比利时军人。但总体来说，德国人做了更好的准备。法国实行普遍义务兵役制，年轻人的吃穿耗费了大部分军事预算，那么，留给强化训练长期服役士兵、军士抑或购买复杂设备的资金就不多了。法国人把征兵作为一种灌输共和国民族主义的工具，但这个国家的人口几乎一半是农民，而且相当常见的是，他们甚至不会讲纯正的法语。可以说，法国军队征召每一个人，甚至是僧侣。

与此同时，德军则能够把更多资金集中用于训练和改进装备，这是因为将官们根本不想过度扩军，而且没必要让那些会“降低”普鲁士军队质量的人担任军官。从支出比例上看，德军很少把钱花在供养应征入伍者身上，它拥有的军士人数，3倍于法军，也远多于俄军。可以说，在德军中，军士同普通士兵几乎没有区别。

而且，法国人缺少德国人所拥有的重型火炮，仅有的火炮还都被放在各个要塞里面。此外，法国人缺少德国人已经熟知的其他两种武器。第一种是轻型迫击炮，这种武器能够在高弹道（以45°）发射炮弹，并能使炮弹命中防御工事后面的目标或树林中的目标，而平射弹道（以16°）发射的机枪却无法打中防御者；另一种武器则是铁铲，也被称作战壕挖掘器。如果士兵能够躲藏在地下的洞穴中，除非遭遇重型炮弹的打击，否则就很难被击中。德国人有铁铲，而法国人却没有，为什么呢？这可是一个很好的问题。答案可能就是德国人以更高的强度训练了极少的人，能够依靠这些人而不至于造成恐慌；而法国人却利用极少的军士训练更多的人，这意味着要以简单，甚至粗陋、庞大的编队形式维持他们的秩序才能前进（类似于一个世纪前革命战争中的纵队，这也比18世纪时线形编队付出了更高昂的生命代价）。而且，这些人身着的红蓝色军服，也使得他们十分显眼，而其他国家的军队都已经改穿灰暗色调的制服，甚至苏格兰兵团的褶裥短裙都已变成土黄色了。

各国军队都已出动，但最先调动的是德军。如果德国人想要轻易地穿过比利时，他们就必须夺取列日这个至关重要的要塞，因为他们需要铁路，而列日正是个关键节点。8 月 7 日，德军要了诡计，占领了中心堡垒，而特地带来的奥国重型大炮则攻陷了外围的碉堡。到 8 月 18 日，德军集结完毕，一支庞大的武装力量进入了比利时平原。德军在右翼布置了 3 支部队，共 52 个师，约 75 万人。其中的左路镇守在梅斯到蒂永维尔之间，在更南边的边界处，德军的力量相对较弱。

实际上，3 支德军都在进入一个不设防地带，他们行军神速，一天 20 英里，这是一项非凡的成就。比利时军队撤退到海边的安特卫普要塞群和那慕尔。在该地区的南边，部署了一支法军（朗雷扎克的第五军团），与此同时，英国远征军也在该地区左边集结，但在一段时间里，这个地区没有发生战斗。可能法国最高指挥官约瑟夫 · 霞飞[①]将军没有关注此地，

① 约瑟夫 · 雅克 · 塞泽尔 · 霞飞（1852~1931），法国元帅、军事家，第一次世界大战初期的法军总指挥。是第十七号计划的忠实执行者，战争初期使法军损失惨重，后在马恩河战役和凡尔登会战中有效阻止和打击了敌人，但在 1916 年的索姆河会战中法军再度失利，霞飞因此遭免职。——译者注

因为他正在筹划“第十七号计划”[1]。他认为这将是一项巨大的反攻计划，德军将会被驱赶回莱茵河，而法军将占领阿尔萨斯和洛林。可这是一场灾难！8月20日，在萨瑞柏格·莫汉吉一役中，法军艰难地对德军布满机关枪的防御阵地发起进攻，却被打得支离破碎，随后又遭到德军的反攻，损失了150门大炮，2万人成为俘虏。8月21日，霞飞将军决定再次发起一次进攻，不过这次选择的地点是位于法国东北部和比利时东南部的阿登高原地区，那里山路崎岖、林木茂密。在这一地区的是中路德军，由于已经见证了右路和左路德军的威力，因此，法军参谋部认为德军中路兵力必定较弱。这又是一场灾难！由于法国人受到他们自己军队规模的限制，法国标准的75毫米野战炮无法在山地作战中发挥效力，但德军却配备了一种能够在这种地形上作战的火炮。与此同时，

① 第十七号计划，是法国在普法战争后拟定的战略计划，在1913年被法国国防部采用，目标是企图重新占领阿尔萨斯及洛林两省，此计划本身以攻击性为主，其战略部署是动员4个军，分南北两路进攻德国，南路目标是占领阿尔萨斯及洛林两省，北路则根据德军攻势，在卢森堡或阿登高原迎战德军。此计划强调并依赖士兵的战意及进取心，并认为法军的素质优于德军，由于法军深信英国对低地国家的重视会使德国不敢取道比利时攻打法国，故此法军没有在法比一带边界布置军队防止德军西向，总之，由于在兵力和地点上的严重误判，令德军在第一次世界大战初期轻易占领了比利时大部分及法国东北部。——译者注

远在西北部的朗雷扎克部队也表现糟糕，开始从那慕尔撤退，并与英军——它的指挥官是脾气变得越来越暴躁的约翰·弗兰奇爵士——失去了联系。8月23日，右翼德军中克鲁克第一集团军与英军在蒙斯–孔代运河遭遇，英军正规兵每4秒发射一整排子弹，极大地阻挡了人数上占优的德军进攻，虽然自身损失1 850人，但德军的损失要3倍于英军。当天下午，德军运来榴弹炮来应对这困难局势，英军被迫撤退，从时间上看与朗雷扎克部队的后撤几乎同步。法军损失惨重，到8月底，法军阵亡75 000人，20万人受伤并成为俘虏。而德军的损失要远远少于法军，这是因为他们从北面快速进入法国，没有遭遇多少抵抗。为在巴黎周围重新进行部署，英法联军进行了大规模的撤退。

不过，英法有效地控制住了事态——无论在哪个阶段，英法联军都没有被德军夺去大炮，同时德军包围圈的威胁也不复存在。人员的损失很快得到补偿，而且法军拥有了巨大的优势，相对于步行跟进的德军，法国能够更快地把军队从东南部运到西北部。德军只有4 000辆卡车，其中的2/3在英法军队撤退完成前还被破坏掉了。此外，默兹河上的桥梁都已被摧毁，比利时人也已经毁掉了他们的铁路和大部分隧道——到9月初，2 500英里铁路网中只有400英里恢复运输。弹药不得不首先依靠马匹运输，而马匹本身只能靠谷物喂养，这又使得它们没有力气且经常生病。克鲁克的部队有84 000匹马，这些可怜的牲畜很多都一头栽倒在路边死掉了，因此，在拖拉重型大炮中就出现了延迟的问题。而且，8月的酷热也使得军队消耗严重，一些部队甚至减员到了原有兵力的一半。另外，德军也面临着一个与通信有关的棘手问题。回到科布伦茨的小毛奇[①]的部队，距离前线过于遥远，而无线电的运转非常笨拙，且无保密设施，以至于法国人都能监听得到。德军采用的是有限非集权化体系，事后看来，这是一种不可思议的进步，但造成了将军们常常完全不知道附近军队的行

① 赫尔穆特·约翰内斯·路德维希·冯·毛奇（1848~1916），俗称小毛奇。德意志帝国陆军大将，曾担任他著名的叔叔老毛奇的副官和德皇威廉二世的侍从武官。1906年1月出任德军总参谋长，是狂热的好战分子。主持“一战”初期的“施里芬计划”，计划失败后于1914年9月14日被解除职务，1916年6月18日抑郁而终。——译者注

动。9 月 5 日到 9 日马恩河战役[①]期间，德军最高统帅部根本没有发布任何命令，在最后两天也没有收到任何报告。再者，德军中还出现了其他问题：为了看似是至关重要的目标，有些部队被调离了具有关键意义的阵线，有两个师团被派往安特卫普和莫伯日，另有两个师团被调往东部普鲁士，那慕尔也占用了一些部队。与此同时，小毛奇命令他的左翼部队向南锡方向发动进攻，而不是把他们调往右翼，结果毫无成效，却浪费了前期的所有努力。8 月 27 日，他下达命令，要求部队总体推进，右翼两支部队向塞纳河下游和巴黎进军，可随后他又在 9 月 2 日命令部队原地待命，以便右侧的克鲁克第一集团军穿过巴黎北部边缘，到达东南部，并进而向巴黎东部推进。这种改变，部分是由于克鲁克第一集团军东面紧挨着的比洛第二集团军，在吉斯地区被法军第五集团军击退，而在 8 月 26 日，克鲁克本人的军队则在勒卡托遭遇了英军非

① 这里所说的马恩河战役指的是第一次马恩河战役，又名马恩河奇迹，是第一次世界大战西部战线的一次战役。发生时间在 1914 年 9 月 5 日至 12 日。在这场战役中，英法联军合力打败了德军。双方损失惨重，但从战略上看，英法联军转败为胜，粉碎了德军的速战速决的计划，但也由于英法军队行动迟缓，使德军得以保存了实力，西线战事陷入胶着状态。——译者注

常有力的抵抗，这样，德军右翼的几支部队就被更紧密地挤压在了一起，他们因此放弃了横扫巴黎西部的计划。

此时的霞飞将军要比小毛奇更沉得住气。他打算集结新的部队并将其他部队从巴黎东面转移到西面，对在那里已然暴露的克鲁克部右侧发起新的进攻。这些行动于8月25日开始。此时法军与英军之间开始出现问题——约翰·弗兰奇爵士打算着如有必要就撤出战斗并返回英国。只是当基钦纳勋爵[1]身着正式的陆军元帅制服抵达英军营地，命令他遵守法军的计划时，弗兰奇爵士才算被吓住。与此同时，新的法国联合政府坚持要求保卫首都巴黎，本来准备调往巴黎西北部的新集团军的各支部队，现在则用来加强首都的防御。当9月3日克鲁克部从巴黎城外东转，去保持他与比洛第二集团军的联系时，所暴露出的路线给予了法军进攻克鲁克部西翼

---

① 霍雷肖·赫伯特·基钦纳（1850~1916），英国陆军元帅，英国军事界实力派人物。曾任皇家工程兵军官。1883年在中东服役。1892年成为埃及陆军总司令。1898年在恩图曼镇压马赫迪苏丹军，成为该国总督，阻止了法国在苏丹的扩张。第二次布尔战争中，采取烧杀等残酷手段，镇压游击队，1902~1909年在印度任职期间，因与印度总督寇松爵士发生分歧，导致总督辞职。1914年起任陆军大臣和陆军元帅，招募大批志愿兵，迅速扩充英军。后乘巡洋舰前往俄国途中遭到德国潜艇攻击，舰沉溺毙。——译者注

的良机。在巴黎和凡尔登之间，还有另外一支德军的先遣队越过了马恩河，但这支部队几乎没有发挥主导作用。在圣贡沼泽，交战双方是德军第二集团军和福煦[①]的法军新第九集团军。9月4日，霞飞将军命令从巴黎和凡尔登两边对德军第六集团军发起进攻，不过，战斗实际上在一天前就已经打响。当时，西侧的法军新集团军（第六集团军）与德军克鲁克部的部分兵力在乌尔克河上爆发冲突，参战的法军是由出租车队从巴黎运送到战场上的——那是一个伟大的爱国主义传奇故事，尽管出租车的计时器还在计数！在战斗中，由于一些困难，法军的进攻受阻，但克鲁克却使他的两个军从左侧回撤到右侧，这意味着他与比洛的部队之间的缺口进一步加大，大体上处于——那些从南部流入马恩河的支流——大莫兰河和小莫兰河之间。

刚好就在英国远征军面前，如此偶然地出现了这一缺口。

① 斐迪南·福煦(1851~1929)，法国陆军元帅。第一次世界大战中任法军新第九集团军司令、“北方”集团军群司令、法军总参谋长，战争后期任协约国联军总司令，对协约国最终战胜以德国为首的同盟国起了重大作用。1918年8月获法国元帅军衔。1919年起任协约国最高军事委员会主席。也是历史上唯一一位拥有三个国家（另外两个国家是英国和波兰）元帅头衔的人。著有《作战原则》等军事著作。他关于“一战”结果的名言“这不是和平，这是二十年的休战”，不幸一语成谶。——译者注

于是，英军小心前进，进入了一个几乎空旷的地带，从而在德军右翼的两支部队间撕开了一道裂痕。总体来看，到此时为止，右翼德军在兵力上已经大大落后于英法联军——20个师对30个师。而且，德军的弹药正在耗尽，而法军却学会了如何更合理地使用他们的野战炮。9月8日，在小毛奇的德军总部，德军最高统帅部召开了一次参谋会议，会后一位负责情报的上校驾车前去面见克鲁克和比洛。他发现，比洛已经决定，如果传单所说的事情真的在9日发生，即如果英军越过马恩河，他的部队就要撤退。克鲁克因此也就不得不随之后撤，尽管他不想这样。勇气尽失的小毛奇随后拜访了其他几位集团军司令，并在9月11日命令东面的第三、第四和第五集团军都要撤退。9月9日到14日，德军撤退到了一道高出埃纳河500英尺的横岭上，步兵被命令构筑防御阵地，挖壕建阵，布置带铁丝的防御网。这样，火炮无法轻易地探明士兵的位置，步枪对他们无济于事，只有那些从近处投掷的手榴弹才能够把他们从战壕中炸出来。霞飞将军以为德军在逃跑，于是，强迫法军发起进攻。但由于官兵疲劳、天气恶劣和军火匮乏，英法联军对埃纳河德军阵地的进攻毫无进展。到9月底，这一战线的对峙稳固下来，陷入了一种胶着状态。

法国人非常希望俄国人取得胜利，因为在俄国的战略铁路、铁路线路双线化和站台加长等方面，他们都有投资。这样的结果就是俄国的军事动员确实像德国人所担心的那样在不断推进。到8月中旬，尽管各种相关的服务还不能有效地为部队提供支持，但大量的俄军士兵已出现在东普鲁士边界。而且如沙俄政府所承诺的，侵入东普鲁士的俄军有两个集团军，大约30个师。其中，第一集团军向西挺进，第二集团军则行进在西南方向的一条要道上，并从华沙向北进军。从理论上来说，俄军应该能够限制住集结在东部边界和柯尼斯堡要塞的唯一一支德军，即第八集团军。但理论却难以变成现实。这一地区湖泊密布，森林茂密，不仅把两支俄军隔开，而且使得它们难以部署兵力。由于缺乏后勤供给，俄军的骑兵几乎一跨过边界，就完全失去了战斗力。此外，德国人可以利用他们从东部到西部的铁路，而俄国人却只能迎着8月尘土，拖着沉重的脚步行进在格罗德诺到华沙的道路上。俄军处境艰难，还因为他们的通信质量太差，以至于电报不得不靠汽车从华沙成堆地运出去。指挥俄军第二集团军的萨姆索诺夫，统辖着包括步兵和骑兵在内的差不多20个师，这些师之间彼此的沟通都十分困难，更不用说与其他集团军进行联系了。俄军的命令通过收音机进行广播，甚至都没有加密，由于耗时过长，而且在完成任务方面没有值得信任的军士，德军情报人员由此能够了解到俄军内部正在发生的一切情况。

不过，德军的情况也开始变得糟糕起来。德军第八集团军下辖13个师，它的战术十分明显，即对正在会合的两支俄军部队中的一支发起攻击。8月20日，德军对入侵东线的俄军第一集团军发起正面进攻，一个下午双方就损失了8 000人（其中3 000人是进攻的德军）。8月22日，惊慌失措的第八集团军指挥官冯·普里特维茨将军在电话里急促地对小毛奇说，他要放弃东普鲁士，退守水量巨大的维斯瓦河。他随即被解职，已退休的保罗·冯·兴登堡[①]将军接替其职

---

① 保罗·冯·兴登堡，全名保罗·路德维希·汉斯·安顿·冯·兴登堡·贝内肯道夫（1847~1934），兴登堡在军事生涯初期是一个出色的军人，但是他最为著名的成就在于"一战"中和鲁登道夫所形成的完美组合,使德军在东线取得了一系列重要战役的胜利。他在晚年出任魏玛共和国总统时任命希特勒为总理，这一政治行为成为日后希特勒发动第二次世界大战的重要因素之一。兴登堡于1934年8月2日逝世。——译者注

务，埃里希 · 鲁登道夫[1]出任参谋长。这是一个出色的团队组合。鲁登道夫很有能力，在“一战”爆发前就作为精力充沛的组织者而闻名，也曾在攻打列日要塞中神气十足，但赞誉曾使他骄傲自满，丧失分寸。兴登堡负责制动，所以鲁登道夫有时会冷嘲热讽地把自己说成是个“店铺招牌”。对两位新指挥官来说，当务之急是保持镇静，稳定军心，因为俄军第二集团军正在他们自己部队的后面艰难北进，这些部队刚刚在东部边界战斗中被打败。鲁登道夫和兴登堡决定，这些被迫后撤的德军，一部分用火车转送到俄军第二集团军的西侧，另一部分则步行直接前行到这支俄军的左侧。与此同时，迈着沉重步伐缓慢前进的俄军，对将要发生的事情还一无所知。俄军第一集团军被命令要抓紧时间攻占位于波罗的海沿岸的要塞城市柯尼斯堡，因此总体上减少了对第二集团军行程的关注。8 月 24 日，俄军第二集团军与德军发生交锋，在一段时间里，它的中路部队取得了一定的进展，但也只是虚

① 埃里希 · 鲁登道夫（1865~1937），德军陆军上将，军事家。“一战”期间先后出任德军第二集团军副参谋长和第八、第九集团军参谋长，东线德军参谋长，能力非凡。协助兴登堡在东线取得一系列重大战役的胜利。著有《总体战》等书，1937 年病逝。——译者注

幻的进展，因为它越向北深入，就越陷入了德军从两侧进攻的包围圈中。8 月 26 日，西侧德军开始行动，对混乱不堪和不知所措的俄军左翼发起进攻，并切断他们的通信线路。第二天，东侧德军攻击俄军右翼，俄军的先头部队还遇到了从西侧杀过来的另一支德军部队的包围。陷入困境的是俄军第二集团军的 4 个军，这些部队已经弹尽粮绝，它们的指挥官却对所发生的战斗完全摸不着头脑。8 月 20 日，一群群俄军官兵——将近 10 万人（另有近 5 万人伤亡）——先后投降，俄军第二集团军司令萨姆索诺夫自杀身亡。德军还缴获了 500 门大炮。对俄军来说，这是一次巨大的失败，是“一战”中最惊人的失败！而对德军来说，这次战役则成为了一个传奇！离战场不远的地方，有个村庄叫坦能堡，中世纪时斯拉夫人曾在这里打败过条顿骑士团。人们以这个村庄来命名这次俄德大战，坦能堡战役于是变成了日耳曼人的骄傲。与此同时，它也给兴登堡和鲁登道夫带来了荣誉，他们的美名一直维持到战争结束，甚至是在战后也美名传扬。坦能堡纪念碑距离希特勒在拉斯滕堡的战时总部非常近。后来，俄国人或者是波兰人炸掉了这两处建筑。

俄军退回到边界以内，并在马祖里湖区勉强击退了德军试图跨过东部边界的攻势，俄德战线出现了短暂的停战期。不过，俄军在东部战线还是有所进展，他们在攻击奥军方面发挥出色。哈布斯堡帝国[①]的苦难开始了。到8月底，俄军有超过50个步兵师和18个骑兵师集结在波兰南部和乌克兰西部。相比之下，奥匈帝国的兵力极为虚弱，开始时只有30个师，后来从巴尔干半岛又调来了8个师。在火炮方面，奥军也要弱于俄军各师。奥军官兵是帝国瓦解综合征的牺牲品，换个说法叫帝国"过分扩张"的牺牲品，是帝国的傲慢和现实的残酷之间竞争的受害者。

奥匈帝国军队总参谋长弗朗茨·康拉德·冯·赫岑多夫（Franz Conrad von Hötzendorf）[2]是一位聪明的将军。他清楚即使不把兵力为奥军1/4的塞尔维亚计算在内，奥军的兵力加在一起甚至不到50个步兵师，得到的资金也只有2 500万英镑，比英军6个师所得的资金还要少，如此虚弱的兵力根本无法应对俄军。康拉德对小毛奇承诺，在德国攻击法国

---

① 哈布斯堡帝国，此处即指奥匈帝国，因奥匈帝国的统治者出自历史上著名的哈布斯堡家族，帝国本身也是历史上哈布斯堡王朝的继续。——译者注

时，他会动用几乎所有的部队来应对俄军。不过，对塞尔维亚的战争无疑很有吸引力，如果俄军不能立刻施加有效威胁，那么奥军的强大程度是能够解决掉塞尔维亚的。因此，在没有知会德国人的情况下，康拉德安排一半军队沿着喀尔巴阡山脉依据承诺前往俄军前线，并在边界“下车”（英国部队称之为下车），然后前行100英里再驻扎下来。俄国人可能会艰难地穿越加里西亚平原进入波兰南部，东普鲁士的德军也许会进攻波兰北部，与此同时，另一半奥军将会征服塞尔维亚人。康拉德总是向德国人解释说，他们很长时间以来就已经预见到奥匈帝国与塞尔维亚之间终将会爆发战争，而俄国人不会迅速下定决心参战，这样，奥匈帝国就可能决定先针对塞尔维亚进行军事行动。这真的不是一个特别合理的借口，这位陆军部长随后也承认会对俄军进行干涉，没人会真正怀疑。激起奥匈开战是柏林的战争借口。可是当德国听说所发生的事情时，从德皇到其属下，却通过一连串充满痛斥的电报表达抗议。

康拉德不得不解释说奥军已经出发前往巴尔干半岛了。在德国人看来，这是世界大战刚开始时对大国军队一次荒谬的滥用。康拉德随后向他的铁路专家咨询：能改变运送军队的线路吗？专家们惊恐不已——在运输部队期间，怎么可能沿着单线铁路改变列车的线路呢？奥匈帝国的铁路反映出它是一个多民族帝国的事实，政府不得不利用这种或那种不重实际的让步来收买每个民族。比如，为了阻止把奥地利的货物运到匈牙利，有 19 条铁路都在奥地利和匈牙利边界终止。人们如果想要把货物从奥地利的斯洛文尼亚运到几英里远的匈牙利克罗地亚，就要通过一段风景如画的山间铁路，想要快一点的话，可以从布达佩斯中转。此外，还有许多私人铁路，在波斯尼亚，铁路之间的轨距并不相同，所以在波斯尼亚布罗德[1]，所有货物都必须在边界线上卸载转运。铁路专家指出，既然已经下令对塞尔维亚采取军事行动，就不得不按既定方针执行。一旦奥军在巴尔干半岛下车，他们就可以重新乘坐他们自己的火车，前往与俄军对峙的前线。铁路专家可能是有些夸大其词，在俄军进行军事动员时，所谈到的四个奥国集团军中，事实上还没有几支部队离开布拉格和布达

① 布罗德，今克罗地亚的一座城市，铁路枢纽，著名河港。坐落在萨瓦河畔，由右岸的波斯尼亚布罗德和左岸的斯洛文尼亚布罗德组成。——译者注

佩斯。但专家们的回应确实是异常谨慎，因为他们知道一旦出现任何错误，那都有可能是一场灾难（铁路管理是“一战”的关键，在十一卷的德国官方“一战”历史中用了两卷专门研究这个主题）。他们甚至规定，为了避免任何可能的堵塞，所有列车都要按他们称为“最大化同步图表”来运行，这意味着在最糟糕的线路上，质量最差的列车必须达到10英里每小时的速度。否则的话，专家眼睛盯着的那些地图上的图钉，就会变得混乱不堪，列车加水、供煤和电报发送等也都会变得一团糟，毫无希望可言。混乱非常可能成为事实，因为即便是运营最好的列车线路也可能出错——法国北部的列车线路就每天都会发生事故，而且，后来英法两国还因为管理同一铁路网而发生过激烈的争吵，这也是事实。不过，奥匈铁路专家们还是觉得军事行动的速度会比一辆质量过得去的自行车的速度还要慢！

由于康拉德的军队中有一支走错了方向，因此在这个时候，他决定恢复原来在波兰南部部署军队的计划。但是不可能临时改变铁路时刻表。其他3支部队已在喀尔巴阡车站下车，并在8月酷热中前进了100英里。另外一支部队——第二集团军——确实出发并抵达了塞尔维亚边界。这支部队在帐篷中住了一段时间，卷入了一次失败的军事行动中。他们后来重新上车，穿过匈牙利南部，在战争开始接近5周后被运到了加里西亚。不过，这支部队在加里西亚也没能取得成功。所有这一切带来的最严重后果是，奥匈帝国曾经高傲宣布进攻塞尔维亚，到头来都失败了。负责进攻塞尔维亚的奥军指挥官波蒂奥雷克患有神经衰弱，他还是同性恋。他是康拉德的竞争对手，不过两人在朝廷中却保持着良好关系。这位指挥官只用非常难读懂的字条同他的参谋沟通，而且他还在为没能保护好斐迪南大公而感到痛苦。奥军本身在人数上略少于塞军，与塞军不同的是，他们完全没有作战经验。奥军行进在几乎没有铁路的森林中，其中两支部队分隔得非常遥远。左侧的一支部队于8月16日到19日间被打败，这造成两支部队必须后撤。到12月，奥军在进攻塞尔维亚方面的其他所有努力都失败了。

到8月21日，东北战线上的两个奥军集团军部署就绪，他们的行动略快于俄军。在俄国控制的波兰北部边界地带，俄奥两军发生战斗，奥军表现出色，几乎是在德军俘获俄第八集团军大部分官兵的同时，他们击退了两支俄军的进攻。不过，所取得的胜利是以牺牲这条战线上的东段为代价的。在那里，奥军第三集团军驻守在距离俄国边界不远的一条河岸上，一度失踪的第二集团军要到9月8日才能从塞尔维亚赶过来。总体看来，俄军有75万人，奥军有50万人，在兵力上俄军占有优势；就双方拥有的火炮和机枪的数量来看，俄军的优势要更为明显。俄军的优势集中在了东段，而这支奥军还主动发起进攻让事态变得更加糟糕，这里很快就被攻陷。9月3日，俄军进入州首府利沃夫（德国人称这里伦贝格，人们通常用这个名字命名这次战役，即伦贝格战役）。奥军的反攻未果，指挥部命令全线撤退到喀尔巴阡山脚下和西部的克拉科夫郊区。

至此，战争模式已经定型：西线陷入僵局之中；东线上的奥军危机不断。那么，到目前为止战争资源才被充分调动起来的德国，会做出怎样的反应呢？小毛奇已经精神崩溃，接替他的是一位不那么歇斯底里的人物，普鲁士陆军部长埃里希·冯·法金汉[1]。没有任何特殊的原因会让德军感到恐慌。德军确实遭受了巨大损失，但即便如此，兵力也完全可以恢复到正常的水平，并可以尝试再次发起进攻。此刻，双方都非常清楚，如果军队发起正面进攻，他们就会遭遇到来自地下掩体中的阵阵弹雨和轻型武器的射击，这是大炮无法轻易应对的。因此，在法国，交战双方都试图进入埃纳河防线西北部，那里地面开阔，这是最古老的战争策略之一，因为从侧面发起攻击能够射击毫无防御的另一方，也就是说被攻击方会陷于一道脆弱的防线之中，无法反击。而攻击者的麻烦则在于在进行攻击的情况下不能十分迅速地移动，同时也缺乏火炮的配合。从9月中旬以来，双方的战斗持续进行，并越来越向西北方向推进，最终到达了佛兰德斯的沿海地区，双方在这里挖掘战壕，构筑防线。德军的意图是彻底清洗比

① 埃里希·冯·法金汉（1861~1922），德国元帅。1914年9月接替小毛奇出任德军总参谋长，先后发动东线的戈尔利采战役和西线的凡尔登战役，但均未实现预期目标，1916年8月被解职，出任集团军司令。他是一位强硬的军国主义者，退役后著有《1914~1916年总参谋部的重大决定》，1922年病逝于波茨坦。——译者注

利时，而阻击德军、防守伊普尔[①]这座中世纪古城的是英军。尽管德国方面参战的新军主要是从年龄稍大的小学生和学生志愿者中征召而来的，但德军的攻势仍然非常可怕。在 10 月下旬和 11 月上半月，英德两军在伊普尔进行了一场十分血腥的战斗。英军顽强地守卫着这座古城，这里就是后来著名的“伊普尔突出部”。所谓的突出部是英军防线的一部分，它深入到了敌军的领地，因此，防御者太容易遭到来自三面的射击。退守到更安全的地带本是合理的选择，但公众舆论已被煽动起来，以至于合理的撤退就会被认为是承认了战败。这次战斗造成各方近 13 万人的伤亡。它标志着英国那支古老的正规军（6 万人）全军覆没，比利时人则失去了他们剩余部队 1/3 的兵力。对德国人来说，这场战争是对“无辜者的屠杀”。那些几乎没有受过训练的学生志愿兵，他们所在的分队有 60% 的人战死。今天，在比利时兰格马克的德国人墓地中，有属于这些孩子的 25 000 座墓碑。

① 伊普尔是今比利时西佛兰德省的一个古老城镇。在“一战”期间，协约国军队与德军于 1914 年、1915 年和 1917 年在此先后进行过 3 次大规模的战斗，史称伊普尔战役。其中在 1915 年的第二次伊普尔战役中，德军使用了毒气，毒气战首次进入人类战争史。——译者注

双方开始扩挖战壕，巩固防线，防线也因此变得越来越难以攻克。前线部队住在“地下掩体”中，宿舍和仓库都建在面向着敌人的战壕里面，以防被炮轰或射击。带刺的铁丝网被布置在防线的前沿，这就是“之”字形防御，可以避免遭遇纵射。僵持中所需要的用于通信联络的战壕，同样是迂回曲折，连接着建有医院和提供物品的更安全地带。同时，为了做好撤退的准备，隔一段时间就可能要挖几条新的战壕。遇到潮湿的天气，战壕里会变得非常泥泞，官兵们就得铺上木板。此外，还有一个大问题，就是官兵们的制服里外有各种靠死尸活着的寄生虫、老鼠和虱子（他们采用了土耳其人的做法，把夹克放在蚁穴上，蚂蚁会吃虱子，尽管蚂蚁的叮咬也不好受）。

这样，到了1914年11月中旬，胶着的战局成了整个西线的标志。从战争史的角度来看，这并不是什么新情况。在过去，围攻者和被围者经常互相阻挡，僵持几个月。就在同一地区，马尔伯勒公爵[①]指挥的许多战斗都行进得十分缓慢。

---

① 马尔伯勒公爵（1650~1722），原名约翰·丘吉尔，是温斯顿·丘吉尔的先祖。英国历史上著名的军事统帅。——译者注

第二章　1914

1914年出现的新情况是军队的规模发生了变化——相比过去，有更好的后勤供给能照顾的数百万官兵，却躲在100码开外的防线里，完全丧失了机动性。在佛兰德斯地区，整个地方都是靠中世纪强大的排水系统才免于被大海吞没，这里的地下水位距离地表非常近。德军占据了高地，因此战壕可以挖掘得更深一些。英军士兵都是些没经过训练的志愿兵，他们在黏脚的泥浆里跌跌撞撞。这成了西线英军在把守地段最主要的记忆。

在东线，情况略有不同。战线差不多有1 000英里长，两倍于西线。但部队却远少于西线。俄国的人口数是1.7亿，几乎两倍于德国和奥匈帝国人口数的总和，从理论上说，它本该能够征兵数百万。但征兵要花钱，就算节衣缩食，俄国的战争预算也无法增加到供养更多的兵员。因此，人们因宗教、身体不符合标准等各种理由或抽签未抽中的方式而免服兵役。绝大部分人是因为“家庭状况”而没去服役。如果一个人要“养家”，他就可以不参军。令俄军陆军部长困惑不已的是，8月初竟然有200万农民结婚。他只能猜测这些人是打算以生养孩子的方式来履行他们的爱国义务。一线俄军有 500 万，并不多于德军。在东线，俄军 90 个师对垒德奥联军 80 个师。在前线，每英里有俄军 1 500 人。与之相比，法军有 5 000 人，而且法军装备还优于俄军。当然，东西两线之间还有更多不同。在西线，铁路能够相对快速地把兵力运送到战线中某个受到威胁的地段。而在俄属波兰，这样的铁路少之又少，因此，调动预备队就始终是一件难事：在 1914 年 10 月的一段时间里，俄军最高指挥部差不多失去了整个集团军，这些运不出去的军人像无头苍蝇一样在华沙街头游荡。在这种情况下，东线战争其实始终就是一种调动战，尽管调动本身一般都毫无意义。

在 9 月中旬，德国人意识到他们必须有所作为，拯救处境艰难的盟友。鲁登道夫前来拜会康拉德。当时，身为北德一位农民的儿子，鲁登道夫还是很容易就被哈布斯堡王朝豪华高贵的排场震慑住，尤其是当奥匈军队的总部已经从普热梅希尔的营地搬到位于切申的一处小庄园，情形就更是如此。

这个庄园属于奥匈军队名义上的最高指挥官弗里德里希大公[1]和他的妻子克罗伊公主。大公收取租金，庄园供军队使用。新的总部安排得极为舒适，康拉德本人一直在此忙于安排与他心爱的妻子——一位匈牙利人新教徒——离婚，因为按照奥地利（和天主教）的法律，他不能和她结婚。康拉德力图使鲁登道夫相信，奥军当时的处境十分可怕，这是由于为了德国能在西线赢得胜利，奥军一直在东线阻击着俄军所致。奥军的处境确实不妙。它已经损失了50万人，其中有10万人被俘。此外，喀尔巴阡山脉北麓举足轻重的要塞普热梅希尔和12万守军已被包围。毫无疑问，那里很有可能沦陷，因为其他所有的要塞都已经失守了。好的消息是普热梅希尔要塞四周的泥坑很深，俄军无法调动他们的重型火炮，而且，不管怎么样，俄军一直没有几门重型火炮。不过，奥军明显处于危机之中，由鲁登道夫负责的一支德军被迫行动并驻扎在克拉科夫北部。但接下来两个月的调动，只是纸上谈兵，

① 弗里德里希·玛丽亚·阿尔布雷希特·威廉·卡尔，奥匈帝国亲王和奥地利大公，匈牙利和波西米亚皇家亲王，捷欣公爵（1856~1936），奥地利陆军元帅，奥地利哈布斯堡王室成员，1914年7月到1917年2月任奥匈帝国陆军最高指挥官，但他基本不参与军务，军队实权掌握的冯·康拉德总参谋长手中。——译者注

令人印象深刻，却毫无结果。鲁登道夫指出，如果他能拥有更多部队，他会做得更出色。

然而，法金汉要考虑的事务，远超出了东线。在 11 月初，战争实际上已经具备了世界规模。这场战争，与奥斯曼帝国，事实上与包括波斯在内的整个中东密切相关。当时，人们认为土耳其帝国落后不堪，适合欧洲人接管。这些欧洲人在美索不达米亚（也就是伊拉克）中发现了新的利益点——石油，而且他们可以让当地的基督教少数派充当代理人。个别熟知土耳其的人都清楚，土耳其人完全不是可以随意抛弃的无用之徒，但欧洲却没有几个人能理解这些。1914 年，由土耳其公众捐款为土耳其海军在英国纽卡斯尔建造的两艘战列舰，竟然被温斯顿 · 丘吉尔强行征用。德国的两艘战列舰戈本号和布雷斯劳号却抵达了土耳其水域，为土耳其人服务——土耳其国内的公众舆论开始变得亲德了。不管怎样，亲德的因素最终控制了土耳其。陆军部长苏丹的女婿恩维尔 · 帕夏，和其他“青年土耳其党人”一道在创造一种民族主义。他们的榜样是法国革命家。他们还采用了获胜的巴尔干各基督教国家的信条：一种全新的语言、对历史进行全新的解释和让国家拥有一个不一样的未来。恩维尔和他最亲密的同事内务部长塔拉特把他们的政府骗入了战争。他们正式接管两艘德国军舰，船员们戴着菲斯帽，扮成土耳其人炮击俄国的港口，期望俄国人会宣战。在11月初，恩维尔和塔拉特达到了目的，奥匈内阁的部分成员宣布辞职，抗议恩维尔对俄国的挑衅，但已无济于事，土耳其已经参战。恩维尔率军经高加索侵入俄国，在萨勒卡默什附近，他的部队遭受重挫，10万官兵因疾病或高原苦寒而死亡。而德军指挥官克雷斯·冯·克雷森施泰因也在苏伊士运河受挫。在恩维尔看来，这一切真的无关紧要，因为一个土耳其民族国家必将在苦难中诞生。而且，这个国家要成为一个真正的土耳其人的国家而不是阿拉伯世界。从结果来看，尽管土耳其为此牺牲掉了1/4的人口，但这一算计还是成功的。不过，实现它的不是恩维尔，而是另一位更伟大的人物，恩维尔的竞争对手凯末尔·阿塔图尔克[①]。

① 穆斯塔法·凯末尔·阿塔图尔克（1881~1938），土耳其军事统帅、改革家，土耳其共和国的奠基人和首任总统（于1923~1938年在任），被尊为现代“土耳其之父”。——译者注

说明：

1　布拉格的记者埃贡 · 埃尔温 · 基希在他出发去前线时，婉拒了他母亲要他带上备用内衣的建议，心里想：难道她以为我是去参加又一次三十年战争？基希站在一个更为平常的人的层面看待这次战争，但也表达了同样的幻想。

2　康拉德是他的姓氏，实际上人们称他康拉德。“冯 · 赫岑多夫”是添加的一个称号，是一个表示贵族身份的词。

第一次世界大战·1915

西线法军的220加农炮

第二章 1915

当伊普尔的战斗逐渐停止，冬季的严寒肆虐东线的时候，英国人开始盘算要如何赢得这场战争。人们认为历史能够指导今日，历史上的教训已足够清晰明确。在拿破仑时代，战略部署要考虑到英国的长处和法国的弱点。英国皇家海军对法国与外部世界的贸易施行封锁，抑制了法国的经济。布雷斯特、波尔多和土伦等城市都陷入了萧条，法国对世界的影响急剧下降。拿破仑推动的那些替代行业，耗资巨大，效率却不高，并扭曲了法国经济。法国的那些附属国出高价却只能购买质量奇差的商品，从而对法国心怀怨恨。与此同时，由于英国人垄断了海外贸易，他们赚取了大量金钱，并以贷款的方式把这些金钱提供给在陆地作战的奥地利人和俄国人。

他们自己最终也在拿破仑帝国最偏远的地方——西班牙，布置了一支庞大的军事力量。这支部队有 8 万人，按当时标准这可是一支大部队。在西班牙，英军通过海路给自己的军队提供给养，而法军为了满足自己的需要，则不得不在欧洲这个最贫瘠和最难对付的地方翻山越谷，不得不遭受有着极大决心同时也极度残忍的强盗们的骚扰和阻挠。我们的词汇游击战“guerrilla”，即小规模战争，就来自那个时代。实际上，发生在西班牙的游击战规模可不小。英国人、西班牙人和葡萄牙人付出了很多的努力，用了 5 年的时间才把法国人清除出西班牙。拿破仑把在西班牙的战争称为“西班牙溃疡”，它耗尽了他的实力。但那不只是一处溃疡，那是两个大西洋帝国，甚至是三个大西洋帝国（如果你把葡萄牙包括在内）对他的抵抗。

现在，英国海军拥有巨大优势，难道就没有某种办法成功结束西线的僵局？翩翩才俊们都在苦思冥想，温斯顿 · 丘吉尔尤其如此。他有着非同寻常的敏捷思维和想象力，行文妙笔连珠，讲着一口高雅的老式英语，并对英国历史有着独特见解。他时任英国海军大臣（英国历史的奇特之处在于平民百姓能够控制军队，而在德国，百姓却要接受军队的命令）。在他的领导下，皇家海军早已进行了军事动员。18 英里长的银灰色战舰群，舰头连着舰尾，就是在给德国人一个信号：如果英军战舰群开始行动，你们就会迅速战败。实际上早在 8 月 4 日，英德之间海战的第一枪已在澳大利亚的悉尼港打响。当时，一位德国商人打算经停悉尼，却被告知不得靠近那里。不过，在封锁德国这个问题上，丘吉尔的历史意识却是靠不住的。

封锁的主要目的是要阻止德国货物出口。莫里斯 · 汉基是一位令人畏惧的人物，一位对所有事物都有兴趣的语言学家。1914 年前他在英国内阁中的地位，相当于库尔特 · 里茨勒在德国政府中的地位，他在最高层管理着政府事务。同时和里茨勒一样，他也要对 20 年后原子弹的问世负责（在 1940 年，德籍的犹太流亡者把核弹秘密送给他，他则把此秘密送给了美国人）。就是这样一位人物曾说过，如果能够阻止德国货物出口，德国就将被摧毁。在这个问题上，他和其他许多聪明人一样，都完全错了。在战争期间，皇家海军共捕获了 900 多艘德国商船，还在世界各地，包括马尔维纳斯群岛捕获了（不是没遇到麻烦）许多敌人的战舰。然而，这些行动虽然阻止了德国出口货物，但德国的空闲机器和劳动力却被投入到了战争所需物品的生产之中。与那些英国才俊们预料的相反，在汉堡，没有发生暴乱。控制德国工业的几个大型托拉斯都转而生产战争物资，而作为托拉斯自己工具的银行则为它们提供周转资金。与此同时，和它的英国同行一样，普鲁士陆军知道如何在不制造麻烦的情况下维持产品质量。这样，英军封锁德国货物出口的效果就是，在 1915 年德国战争经济比所有其他参战国都要好。俄国人花了一年时间才赶上德国的水平。

封锁还导致了另一桩怪事：它成了德国食品供应管理不善的一个奇妙借口。德国人因此非常痛恨英国人，指责他们造成食品短缺，而实际上这的确不是英国人造成的。阻止德国人进口货物，可并不容易，因为他们可以通过中立国港口来运营。而且，国际法（1909 年的《伦敦宣言》）在所有情况下都没有阻止食物进口（甚至带刺的铁丝网也只被算作“有条件的禁运品”，因为它具有农用价值）。根据英国的规定，英军可以打开中立国的船只进行检查，而且有时可以没收它们的货物。这一再导致与美国的冲突，造成了很多即使通过提供战后补偿也不易解决的难题。无论如何，确实没有办法阻止德国人通过（特别是）荷兰进口食物。

随着战争的继续，在1916~1917年冬天，德国人的食品供应确实出现了急剧的恶化。英军的封锁也因之受到指责，但实际上价格管控制度才是罪魁祸首——谷物价格受到控制，而肉类价格却没有，这样，农场主们就用谷物喂养牲畜。事实上，直接食用谷物得到的能量是间接通过食用肉类产生能量的4倍（两磅的维多利亚面包就足以供一个人工作一天）。而在过去一段时间里，德国政府曾控制肉类价格，这样，农场主就屠宰（在1915年春，有900万头猪被杀）而不是销售手中的牲畜。肥料比往年减少，收成也因此下降，而马铃薯的歉收则使事态变得更加糟糕，1916~1917年冬天因此也被称为“芜菁之冬”，但问题的核心则在于草率的价格管控。德国农业部似乎把封锁看成仅仅是一种加强的农业关税，即右派们一直在倡导的一种关税。无论如何，农民们表现得非常出色，与此同时，城里人却吃着大头菜，没完没了地蒸煮甜菜来制作一种甜糖浆，在科隆圣诞市场上，直到今天，人们仍然会吃土豆馅饼蘸甜萝卜酱。

封锁还造成了另一个多少有悖常情的后果。这一次，人们预料到这个后果但却误解了它。随着德国外贸出口下降，人们预计英国的出口会取而代之，英国货物会重新占领拉美市场，至少英国人是这样以为的。这类出口带来的利润，通过战争贷款或征税的方式可以回流到财政部，这也意味着接下来可以把这些资金借给那些陆地作战的盟友们，比如意大利或俄国。这种情况，也有先例可循。在1756年到1763年的七年战争[1]期间，英国的资金使得普鲁士的腓特烈大帝[2]能够持续反击法国、俄国和奥地利，英国人则清洗了法兰西帝国的几乎所有资产。1916年到1917年英国的出口确实有所增

---

① 七年战争（1756~1763），又称英法七年战争，是欧洲两大军事集团英国–普鲁士同盟与法国–奥地利–俄国同盟之间为争夺殖民地和霸权而进行的一场大规模战争。战场遍及欧洲大陆、地中海、北美、古巴、印度和菲律宾等地。这场战争造成约100多万人死亡，对18世纪后期国际战略格局的形成和军事战略的发展均产生了深远影响。——译者注

② 腓特烈大帝（1712~1786），即普鲁士国王腓特烈二世（1740~1786年在位），军事家、政治家、作家、作曲家。在他统治时期，普鲁士军力大规模发展，领土大举扩张，文化艺术得到赞助和支持，“德意志启蒙运动”得以开展。他是欧洲历史上最伟大的名将之一，也是欧洲“开明专制”君主的代表人物，并且为启蒙运动时期的文化名人，在政治、经济、哲学诸多方面都颇有建树，为启蒙运动的一大重要人物。——译者注

长，达到面值5.27亿英镑，这一数字直到1951年才被超越。战争爆发前5年的年平均出口额为4.74亿英镑。一个奇怪的事实是，在有统计记录以来的所有年份中，1916年是英国人向海外销售货物量大于他们购买货物的唯一一年。不过，出口依赖于技术型劳动力，需要把他们和机器设备从生产战争物资中转移回来，但当时的一个现象阻碍了这一进程——大量技工志愿参军，出口商面对劳动力短缺的困境，只能以支付更高工资这种手段来彼此竞争。到了1916年实行强制征兵时，这一问题才得到部分解决：根据新的强制兵役制，一些拥有特殊手艺的人们，可以免服兵役（从某种程度上看，强制征兵获得的兵员最终要少于稍早的志愿参军所获兵员）。在1915年时，这些混乱就已影响到了英国的战争经济，并在当年春夏出现了严重的军火短缺情况，而德国在被逼无奈的情况下却找到了解决军需的适当方法。因此，封锁变得像椭圆桌台球一样，每个角落都有漏洞。直到1918年，封锁才被真正严格执行，主要是因为美国的干预，迫使各个中立国限制了与德国的贸易。

在“一战”中，还有另外一个先例，那是一个人们非常重视历史先例的时代——在拿破仑时代，软肋是西班牙；而在当时，这个软肋是土耳其。

土耳其的参战结果非常糟糕。德国人本来十分期望苏丹哈里发宣布开始“圣战”，那样所有的穆斯林就会反抗英国。但在大多数地方，苏丹的呼吁书都被投到了废纸篓里，俄国的鞑靼人和印度的穆斯林根本没有给英国制造任何麻烦。任何时候，即使圣战意味着把一部分基督徒视为盟友而把另一部分基督徒视为敌人，也几乎没什么用（对土耳其青年党来说，这没什么新奇之处，毕竟他们的宗教领袖就是一位出身伊斯坦布尔一个大家庭的共济会成员[①]）。奥斯曼帝国的军队在高加索地区损失惨重，阿拉伯各省也已经出现了反叛的迹象。推进到黎凡特地区的一支英军可能已击败了土耳其人，黑海海峡也将重新开放与俄国的贸易。可能受此鼓舞，巴尔干半岛各国和意大利纷纷加入协约国阵营参战。在1914年，英国又把君士坦丁堡送给了俄国人，并继续谋划着由各个盟国来瓜分整个奥斯曼帝国。没人预料到土耳其人能够进行激

① 共济会把四海之内皆兄弟作为宗旨，其核心成员来自基督教，但遭到一部分基督徒的反对，因此，发端于欧洲的共济会成员拉拢一部分基督徒，反对另一部分基督徒。

烈抵抗。[1]他们几乎没有军事工业，尽管依靠多瑙河的航运，德国的援助依靠腐败的罗马尼亚人可以运抵土耳其，但往往是杯水车薪，而且都非常迟缓。对于一代代受过古典教育的私立精英学校的学生们，比如诗人鲁珀特·布鲁克①来说，爱琴海有着无与伦比的吸引力。而对丘吉尔来说，爱琴海的巨大优势仅仅是这里不是西线。1906 年，配有全重型火炮的无畏舰问世，这让早期的各种战舰都落伍了。不过，人们却以为，1906 年之前建造的那些多余的英军战列舰就能够横扫赫勒斯滂，也就是现在的达达尼尔海峡——从塞斯托斯到阿拜多斯的海峡两岸宽仅 800 码，这在希腊神话中曾有提及，后来的拜伦勋爵曾游渡过此处。

1915 年 3 月 18 日，英法联合舰队 16 艘战列舰惨遭劫难。它们的大炮不适合攻击岸上的炮台，而且土耳其人还有移动炮台。不管怎样，联合舰队没有彻底扫除雷区。3 艘战列舰被炸沉，另有 3 艘丧失了行动能力。后来，待德军潜艇赶到附

① 鲁珀特·布鲁克（1887~1915），英国诗人，是第一次世界大战期间“战争诗人”的代表人物。他早期的诗歌显示了他对和平的热爱。1914 年“一战”爆发后，他在英国皇家海军服役。1915 年 4 月，在开往达达尼尔海峡的航程中死于败血症。他最著名的作品是十四行诗组诗《一九一四年》和《士兵》。——译者注

近海域，又有两艘被炸沉，英军舰队不得不在5月离开近海水域。英国的海军指挥官德罗贝克海军上将倒是一直十分谨慎，他期望有一支陆军来解决海岸防御问题。但陆军的基地远在埃及，而且在这种情况下还出现了不必要的拖延——补给舰按错误的顺序卸载了船上的货物，英国地中海远征军总司令伊恩·汉密尔顿爵士命令所有的船按正确的顺序重新卸载。疟疾也成为一个问题（鲁珀特·布鲁克因此病故）。在军队中，军需供给苛刻成风，甚至没有为驻扎在地中海沿岸和美索不达米亚的军队营地窗户安装防蚊纱窗。此时，希腊的利姆诺斯岛成为了英军的前沿阵地，准备战斗的意图已非常明显。不过，即使安纳托利亚地区的铁路和公路能够比船舰更迅速高效地把军队和大炮运到加利波利半岛[①]——单单运送一个师就需要50艘船舰——就算是土耳其人也至少需要7周时间。而英法联军确实有7周没有采取登陆行动，土耳其

① 加利波利半岛，是土耳其西部欧洲部分伸入爱琴海的一个狭长的半岛，它的西面是爱琴海，东面是马尔马拉海，南面是地中海，有60英里长，4~13英里宽。1915年4月25日到1916年1月9日期间，英法联军及澳新集团军与土德军队在此展开激战，双方伤亡惨重，尤以英军为甚。土耳其陆军精华遭到毁灭性打击，但英法联军的战略意图没能实现，史称加利波利战役。——译者注

人很好地利用了这段时间。

面对英法进攻的致命威胁，土耳其人还是决定采取一项关乎其命运的措施。在东部的凡城，亚美尼亚人发动起义，穆斯林城镇被摧毁并发生了大屠杀。刚好在英军登陆前，恩维尔和塔拉特命令把全国除伊斯坦布尔和伊兹密尔之外的所有亚美尼亚人驱逐出境，理由是他们不忠诚而且非常不可靠。在沙皇、俄属亚美尼亚大牧首和安纳托利亚几位知名的亚美尼亚人的呼吁下，战争后方最终发生了几次暴动，使得青年土耳其党人确信，他们必须孤注一掷，采取极端措施。历代的亚美尼亚人都被认为是“最忠诚的”少数派，甚至在1914年，土耳其政府还给了他们的领袖保罗·努巴尔一个职位（他拒绝了，理由是这不是他的土耳其同胞决定的）。土耳其人针对亚美尼亚人的策略，制造了许多超乎寻常的残忍事件，至少有70万亚美尼亚人被迫步行或被塞进火车前往叙利亚北部，在那里的集中营，许多人死于饥饿和疾病。沿途有大量证据能够证明确实存在着大屠杀。

4月25日，协约国部队在加利波利半岛西南端的5处海岸登陆，他们在人数上处于劣势（5个师对6个师），海军的火炮无法精准攻击掩蔽好的野战炮。登陆期间，英军损失惨重，登陆后他们又发现，登陆之处林木茂密，且是上坡段，地势艰难，伏卧在远处斜坡上的土耳其军人俯视着英军阵地，主宰着他们的命运。而澳新志愿军团进入了一处特别考验意志的地方——“澳新军团湾”——参战双方挖掘战壕并进行正面攻击。对于入侵者来说，即便是饮水也成了问题，因为不得不依靠士兵划着小船来供水，可每只小船装载的水量过少，而且通常又很容易遭到埋伏在斜坡上俯视着山下的土耳其军人射击。8 月，英军在新补充了 3 个师之后，试图在澳新军团湾更北面的地方，沿着苏弗拉湾海岸再次登陆。尽管在一段时间里，英军没有遭遇到抵抗，但由于资深指挥官弗雷德里克 · 斯托普福德将军想要在确保军需物资都完全到位的情况下才继续前进，结果这次行动也遭到了失败，英军并没有更远地深入到内陆地区。土耳其军队非但没有崩溃，反倒展现出了非凡的韧性。在这次战斗中，一位年轻的指挥官凯末尔，即后来的阿塔图尔克，为自己在全国赢得了声誉。英国政府最终对整个登陆战役失去了信心，地中海远征军于 1916 年 1 月初被迫结束战斗，在指挥官非常专业的领导下实现了撤退[①]。加利波利战役造成英法联军和澳新军团约50万人的伤亡，其中主要是英国士兵。土耳其方面的伤亡人数约有25万人。在战争的这一时期，英军还遭遇过另外几次挫败。在1915年到1916年的冬天，由于世间罕见的低效，英军的一支远征军在前往巴格达的途中遭到围攻，于1916年春天在库特缴械投降。对德国人来说，到目前为止，奥斯曼帝国的参战带来了非常不错的战果。

德国人在其他地方的战绩也很好，这主要是因为，在真正的战争经济领域，英军的封锁给了德国人领先其他人的意志和方法。新指挥官（实际上在这次战争中，帝国的显要人物都只是名义上的总指挥，总部的参谋们才是真正的指挥者，正如将军们有时会骑着高头大马在公众中趾高气扬地行进，但如果遇到真正重要的事务需要完成，他们就会坐汽车了）埃里希·冯·法金汉将军是一位比小毛奇更会谋划的人。他意识到（也许这证明了歌德的名言"天才懂得知止不殆"）德国的实力不足以同时与3个大国进行较量。他还告诉

① 作者在这里意在讽刺在整个加利波利登陆战役中，英军的计划混乱和战斗的失败，只有撤退表现出了英军的职业水准，是整个战役中唯一成功之处。——译者注

德皇，如果说德国在过去一段时间里没有输掉这次战争，那它实际上将会赢得这次战争。他的希望——这希望支配着他的行动——在于劝说俄国退出战争，重续在19世纪大部分时间中发挥主导作用的普俄伙伴关系。法金汉是一位俾斯麦主义者，和俾斯麦所说的一样，他不希望“把普鲁士这艘装备齐全的巡航舰捆绑在奥地利那艘破败的盖伦帆船上”。他也不喜欢奥匈帝国的人民，在他看来，轻浮的天主教徒，满脑子都是花哨的规矩（普鲁士近卫团中只有一名信奉天主教的军官，即弗朗茨 · 冯 · 帕彭，他在担任德国驻美国大使馆武官的时候，曾有组织地蓄意破坏美国经济，后来又令他名声大振的是，实际上是他选定了希特勒）。像俾斯麦一样，法金汉也认为德国永远不要与俄国断绝关系，因此，他与康拉德的关系，有时冷淡到他完全不把会极大影响到奥匈命运的重要决定告知康拉德。为发动攻击，他甚至要求他的联络官去偷偷查证克拉科夫北部铁路的运营能力，但只是在计划实施一周前，他才告诉他的盟友。在一个更加关键的问题上，法金汉和康拉德都以战争可能获胜为前提，在彼此完全不知情的情况下，各自独立地筹划着对法国和意大利发动总攻。

第三章　1915

尽管沙皇政权中那些最明智但却已退休的政治家们会接受法金汉的提议，但德国人对俄国的和平试探基本上被忽视了。西线的英法等列强已把君士坦丁堡给了沙皇，这是法金汉无法做到的。而且，在俄国，无论如何都存在着多少有点邪恶的反对德国影响的运动。这种影响要追溯到凯瑟琳大帝[①]时期，是那位女皇把德意志农民带到俄罗斯教导俄国农民如何从事农业生产。土地改革是1914年以前和“一战”期间俄国政治中最重要的主题，即把土地分给农民。土地改革规定，如果一个人成为了战争英雄，那么他就可以依据有关的法律条款获得被没收的德国人的土地。沙皇的德籍妻子也成了累赘。不管怎样，除非沙皇别无选择，否则他不可能与德国讨论和平条款。

因此，德国在东线发起进攻。和丘吉尔一样，法金汉也知道西线表现出的只是一种僵持状态，在这一点上，他是完全正确的。1915年4月，法金汉也曾试图在西线的伊普尔发起最后一次攻击。像无限制潜水艇战一样，这次进攻是普鲁

① 凯瑟琳大帝，即俄国历史上著名的叶卡捷琳娜二世，1762年到1796年在位。——译者注

士人进行的又一次残酷操练。德军获得了一种新武器，就是《海牙公约》严禁使用的毒气。他们为此狡辩的理由是法军的步枪子弹也曾射出一种能击中目标的气体。无论如何，毒气确实是一种骇人听闻的武器，它会导致受害者失明或肺部受伤。德军于1915年1月首先在与俄军对峙的前线进行了试验，但极为寒冷的天气降低了毒气的效力。而在4月，从钢瓶中施放出的毒气立刻在英军和加拿大军队中造成了恐慌。但在当时，德军自身也要在毒气中行动，他们找到了一些临时性的应对办法，其中包括浸泡过尿液的棉絮能够在半个小时内使毒气无法发挥作用。后来各方军队中都有了适用的防毒面具。不管怎样，对英军来说，尽管伊普尔突出部的局势变得更加艰难，但也没被德军突破，法金汉也不知道该如何解决。他的主要目标还是在俄国。

在这方面，法金汉是有些好运气的，因为西线的英法两个大国在加利波利战役和法国境内的战线之间分散了精力。从地图上看，德军的防线似乎非常脆弱，因为它全都布置在包括努瓦永在内的一个宽阔的突出部，其最前沿距离巴黎只有50英里。法国的报纸每天都把这条消息放在头版头条。而寻找好消息的将军们，则完全被下面这些消息给迷惑了——一次新的进攻就将解放法国全境。数百万英国志愿兵憧憬着士兵生活的刺激和魅力，他们要抛弃令人厌倦的工业化城镇的生活，枕戈待旦，自愿开赴前线。德军据守的突出部很容易从两侧发起进攻，位于北侧的是阿图瓦，英国远征军正在那里养精蓄锐，地处南侧的是巴黎西北部的香槟地区。如果英法联军从任一一侧实现突破，他们就能够使骑兵“涌入”打开的缺口，也许就能包围住处在努瓦永突出部中心地带的德军。遗憾的是，这一切都是毫无价值的空想，都是年迈的将军们幻想出的辉煌。他们经历的是南非草原上骑兵的冲锋陷阵或在摩洛哥沙地上的战斗。怎么会出现这样的幻想呢？在罗伯特·格雷夫斯（Robert Graves）关于“一战”的经典回忆录《别了，那所有的一切》（*Goodbye to All That*）一书中，他描述了个中缘由。格雷夫斯是一位私立精英学校的学生，内心充满了那个时代浪漫主义的爱国情怀，在离开查特豪斯公学（Charterhouse）之后志愿参军。他所在的那个团的正规军官们都遵循着那些老规矩。军官们身着宽松的短裤，就好像他们身在印度一样。上校们的营生就是把中尉们当“见习生”来用，让他们的生活蒙羞，即便这些人在日常生活中都是富翁和成功人士。有许多指挥官根本就不聪明，其中一些人是彻头彻尾的蠢货。

1915 年 4 月 10 日，英国远征军首先试图进攻的目标是一个叫新沙佩勒的村庄。在战争的这个阶段，战壕防线还非常落后，英军能够集结足够数量的大炮攻克敌军的战壕并进行占领。不过，随后发生了什么事呢？德军的预备队乘火车抵达了另一条防线，而英军的预备队却是步行赶到前线，而且每个人还携带着 60 磅重的装备——相当于一个很重的箱子。骑兵的行进速度倒是在预料之中，只是又阻塞了道路。英军的大炮无法击中德军的新防线，而步兵已疲惫不堪，接下来的进攻因此失败。在 5 月，同样的情况又多次上演，都没有取得最初那样的成功。不过，在那时，志愿兵已成批成批地赶来。在 9 月，英军与法军协同行动，酝酿了新的更大规模的进攻。在矿业城市卢斯，英军甚至释放了毒气。但正如格雷夫斯对结果所做的描述一样，这是一次可耻且可笑的失败——每一次世界大战的开始阶段士兵们都要记取英国式的无知和错误。毒气要从钢瓶里放出来，可扭开钢瓶螺丝的扳手尺寸却不对。而且，管理化学药品的教员们对毒气知之甚少，他们痛恨士兵们的所作所为。军人们对不知所措的教员们又太不尊重。问题都解决好了，风向又出了偏差，但指挥官已下令释放毒气，结果毒气反过来吹向了英军。小城卢斯被德军占领，但有两支英军预备师还停留距卢斯很远的地方，他们或踩着交通壕的板道，或沿着挤满马车、大炮和不得不避让的骑兵，急速前往卢斯。他们到得太晚了，唯一能做的事就是在接下来的两天里遭到进一步的屠杀。但卢斯战役至少让英军更换了指挥官，道格拉斯 · 黑格爵士取代了约翰 · 弗兰奇爵士。一方面是因为弗兰奇爵士已名声扫地；另一方面因为连国王都会听取黑格爵士的意见，而且他在 1914 的表现确实卓有成效。

与英军相比，法军在香槟地区发起的攻击更加有效。这是因为在 9 月 25 日，法军在火炮方面有着较大优势，而且当时德军的防御非常低效，这种情况成就了法军的一次突破，甚至缴获了 200 门大炮，这可是巨大的收获。法军预备队还前行打开了一个缺口。但他们不得不再次面对一些问题，德国防卫部队已乘火车赶到，并已勘察了新的防线。接下来的一个众所周知的问题是：这个纵横交错的战场，早已被大炮击得千疮百孔，弹坑中时不时积满了雨水和死尸。法国军队的生命力正在慢慢衰竭。

哈布斯堡帝国的生命力也面临着同样的命运，尽管不是成百上千的士兵因战斗伤亡而是被俘。当时光迈入 1915 年，奥军沿着喀尔巴阡山一线驻扎，希望能够守住众多山口，不过，普热梅希尔要塞在撤退中已被放弃，那里有 12 万人留守，物资只能维持到 3 月底。如果局势和其他地方一样的话，那么毫无疑问，普热梅希尔就会像列日和其他要塞一样，被重型大炮攻陷，但俄国的围攻部队所拥有的武器少之又少。这样，似乎是命中注定，“桑河[1]上的堡垒竟然守住了”，而奥匈帝国的声誉看来也取决于它——如果它真的被攻陷，奥军的士气也就有可能崩溃，而且，众多潜在的敌人也许会受此鼓舞而介入奥匈帝国的事务。不过，从战略上来说，依赖要塞防御是一个低级错误——敌人因此会熟知你必须采取的行动。当时，俄军就完全清楚奥军会有来自喀尔巴阡山脉的救援性

① 桑河，欧洲维斯瓦河右岸支流，绝大部分在波兰境内。宣传上把普热梅希尔笼统地称为桑河，实际上它是桑河沿岸的一座城市。——译者注

进攻，后来还甚至出现了一支规模不太大的德军南方军团。从1月23日到3月中旬，在高山地带，奥军发起过3次进攻。奥国官方的历史学家们对康拉德的好感有时会造成对真相的隐瞒，但对这几次攻击，他们还是会认为这是“残忍的愚蠢行为”。参与进攻的官兵都被冻死，子弹要么埋进了雪里，要么打在冰面上四处乱跳，而步枪只有在火堆加温后才能发射。在这些战斗中，大约有80万人丧生，其中3/4因患病而死掉，逃兵成了一个严重问题。此外，奥军也担心许多斯拉夫人组成的部队，尤其是鲁塞尼亚人（即奥匈帝国统治下的乌克兰人）或捷克人并不可靠，一个历史上有名的布拉格军团甚至因此而被遣散。

德军方面倒是取得了较大成功。在11月，兴登堡已获得了“东线最高指挥官”的头衔（缩写为“Oberost”）。他的部队从开始时的20个师，扩容到40个师，人数增长到两倍。不过在当时，鲁登道夫和法金汉之间发生了争执，法金汉对鲁登道夫深得人心感到愤慨，并认为他的计划野心过大。但是，奥匈帝国面临的危机迫使法金汉派遣4支新组建的集团军前往俄军前线。2月初，这些德军从普鲁士边界对东南方向的俄军发起进攻，这一事件在历史上被称为“马祖里湖区战役”。在厚厚的雪地里，德军展现出了他们非凡的作战技术，他们击败了一支正在列队准备进攻的俄军。突袭了另一支俄军，造成它的指挥官，一位 70 岁的老人精神崩溃，逃往科夫诺要塞（他后来被处以 15 年的劳役）。还有一支俄国集团军被围困在丛林中，虽然战斗的规模小于坦能堡战役。此后，双方的相互攻击又在波兰和东普鲁士边界展开。而所有进攻都表明法金汉是正确的，鲁登道夫的计划确实过于雄心勃勃。要不是俄军惊人的无知和愚蠢，以及不断犯错，德军肯定会付出极高的代价才能获得可能出现的任何进展。无论如何，当时的奥匈帝国需要直接援助。3 月 22 日，普热梅希尔要塞守军投降，这样，得以抽身的俄军被用来进攻喀尔巴阡山脉的各个山口，并直逼匈牙利大平原。甚至在布达佩斯，人们都能感受到恐惧。在 4 月初的复活节那天，贝基斯德军（即德军第 38 预备队），在德军最有能力的将军之一格奥尔格 · 冯 · 德 · 马尔维茨的率领下，已经避开了直接危险。但很显然的是，如果不采取实质性行动，事态只会变得更加糟糕。

第三章　1915

对德奥来说，还有一个危险在显现出来，即意大利可能参战，每个人都认为这才是致命的危险。奥匈帝国能够三线作战吗？甚至有可能的是，如果罗马尼亚也参战，那奥匈帝国能够四线作战吗？这两个国家都是新兴国家，因为哈布斯堡帝国有着大量的意大利人和罗马尼亚人，它们还没有完成统一。意大利人想更上一层楼，他们从亚得里亚海的角度考虑南斯拉夫的土地，他们也在考虑以牺牲土耳其为代价建立一个地中海帝国，同时还想得到5 000万英镑的便宜贷款。与此同时，他们又非常害怕德国。不过，奥匈帝国的危机和英法联军登陆加利波利半岛减轻了这种恐惧。1915年4月26日，意大利与协约国集团签订了一个《伦敦条约》，保证参战。参战决定获得了意大利议会的通过，但并没有得到广泛和热烈的响应。5月23日，意大利驻维也纳大使把宣战书呈交给了奥匈政府。从理论上说，这本来意味着奥匈帝国的终结，但地理条件帮了大忙。两国边界地带群山起伏，只有港口城市的里雅斯特东北部有20英里宽的平地，这个港口是意大利参战要夺取的主要目标。但这个地段属于喀斯特地貌的燧石区，寸草不生，难挖战壕。即便是奥地利人临时拼凑组建起来的部队也能设法阻挡住敌人最初的进攻。对许多斯拉夫人来说，意大利参战非但没有摧毁奥匈帝国，反而给战争提供了一个新的作战地点，捷克军团后来得以重建，正是因为他们中的许多人曾在意大利战线上表现非常出色。此外，法金汉由于意大利参战而取得了东线战争中的最重大的一次胜利。

法金汉主要关心两件事情。第一件事情是劝说俄国放弃战争。为此，他需要一些证据来告诉俄国，它永远也不可能赢得战争。第二件事情是劝说奥匈帝国的人们为了阻止意大利参战，就要对它做出慷慨的让步。这件事情很难完成，如果他告诉他们，为打败俄军，他打算派兵直接援助奥军，可是这样又有可能会助长他们拒绝对意大利人做出让步的想法。因此，法金汉甚至对康拉德隐瞒了准备进攻俄军的计划，德皇本人也只是在4月11日才得到通知。这是一个非常出色的战略计划——新建的第十一集团军穿过喀尔巴阡山脉北部连绵起伏的乡村，对山口中试图进攻的俄军发起攻击。到4月中旬，地面已经干透，德军完全不会重复康拉德的军队在雪地中曾经历的灾难性困境。到4月底，就是说在十多天的时间里，新组建的马肯森[1]第十一集团军的8个师，共10万人和1 000门大炮就已到达克拉科夫东部。这种铁路运送达到的成绩非同寻常，俄国人无法企及。

德军到达之地，非常敏感。正是在这一地带，十分混乱的战略形势正在加重俄军在战争物资方面面临的困难，俄军的整个阵地马上将被突破。在这个战区，俄军有两大集团军群（或者说两个前线指挥部），其中西北方面军必须应对驻扎在东普鲁士的德军，这些德军能够从南部、东部甚至北部攻入巴尔干半岛各省。任何一位审慎的指挥官都会命令士兵时刻准备防范来自任何一个方向的进攻，因此，不会留有任何剩余兵力来发动攻击。西南方面军当然同样对来自漫长的喀尔巴阡山脉一侧的威胁感到忧虑。不过，不管怎样，西南方面军还是认为一次切实的军事努力能够使奥匈帝国退出战争，

① 奥古斯特·冯·马肯森（1849~1945），德国陆军元帅，第一次世界大战中5位大铁十字勋章获得者之一。1869年入伍，曾参加普法战争。第一次世界大战中任东线第九集团军司令，因对戈尔利采的突破大败俄军而于1915年晋升元帅。后任德奥第十一集团军司令，转战巴尔干半岛，在两个月内横扫塞尔维亚，1916年率德保集团军群攻占罗马尼亚，任驻罗占领军司令直至第一次世界大战结束。马肯森是一位典型的普鲁士军官，战后虽支持希特勒，但对希特勒指挥下德军的暴行，也多有谴责。他是世界军事史上公认的机动战大师。——译者注

这种想法也可以理解。而俄国方面的主要问题在于俄军运输速度极为缓慢，这是由于他们的铁路系统远远落后于德国，除了在巴拉诺维奇[①]的一块清扫干净的林地上，有一位中层军官和两位助手坐在一个半截火车车厢中进行计划之外，俄军的铁路几乎没有中央指挥系统。在德军的铁路运输中，马匹（尤其是饲料）约占 1/5；而在俄军方面，这个比例则超过了 1/2，因为俄军骑兵和哥萨克人仍在期待他们的辉煌时刻。但是，无论如何，两个前线指挥部管理着它们自己的铁路运输，无视俄军最高指挥部的命令，而且没有把彼此的要求放在首位，这造成了转运一支集团军可能要花费一个月时间。而从理论上说，在 5 天内就可以完成从里加到敖德萨的运送行程。

在这个战区，俄军全部兵力的 2/3，即 60 个师都在全心应对西北方向上东普鲁士德军造成的恐惧。西南方面军总司令尼古拉 · 尤多维奇 · 伊万诺夫将军调集庞大兵力（6 个集团军），在喀尔巴阡山脉东部靠近罗马尼亚边境地带采取行动，其目的当然是使罗马尼亚和意大利同时参战。伊万诺夫

① 巴拉诺维奇，今白俄罗斯西南部的一座城市，属布列斯特州，是重要的铁路枢纽。——译者注

还以为，喀尔巴阡山脉西部的大部分俄军能够守住各个山口，结果就造成克拉科夫东部防线只有 5 个师在勉强地把守，那里预备队不易到达，防线布置得残缺草率，泥土被搬挪得乱七八糟，也没有多少通信线路。与此同时，俄军士兵不喜欢在发生过战斗的地面上挖掘战壕，因为在融化的冰雪下面，会有尸体浮现。当地的指挥官听说德军即将来到，于是打算建一个预备队。但上级却说，如果他有多余的人员组建预备队，就意味着他掌握的兵力超出了他的需要，因此要求他劝退其中的一些士兵。甚至前线的通信联络都全无保密措施。从战略和战术上来看，俄国军事史的一大灾难的发生，已是万事俱备，只欠东风。

5 月 2 日，奥军第四集团军和德军第十一集团军共 18 师和上千门大炮开始了连续 4 个小时的炮击，很快就把俄军阵地炸成了瓦砾。俄军根本无力还击，因为俄军第三集团军的大部分火炮还在其他地方（甚至有来自逃兵的警告，指挥官还是离队前去参加圣乔治勋章的颁发庆典）。军队中的许多士兵要么没有接受过任何训练，要么早已超龄，一些人听到迫击炮声，吓得在空旷的地面四散奔逃，厚厚的大衣也随之在空中飘动。进行防御的俄军，有1/3被消灭，防线也被打开了一道5英里宽的缺口。在两天的时间里，同盟国的军队推进了8英里。俄军只有立刻退到桑河，普热梅希尔要塞可能还存有一些重要物资，但伊万诺夫却命令第三集团军要坚守防线，可当地的预备队也被消灭，到5月10日，德奥军队已缴获200门大炮，并抓获了14万俘虏。到此时，俄军不得不从喀尔巴阡山脉后撤，尽管其他战线还在拖沓、零散和极不情愿地向这条战线派遣预备队。此外，另一个不祥的因素开始发挥作用——俄军没有了充足的军火。每个军当时需要20 000枚炮弹，此后每天需要25 000枚，但却只能派发15 000枚。到5月19日，德军在桑河上已拥有一座桥头堡。同一天，法金汉在桑河上的雅罗斯瓦夫会见了第十一集团军参谋长汉斯·冯·西克特将军[①]，两人都认为一个巨大的机会之门正在打开：德军有可能占领整个俄属波兰地区。俄军

① 汉斯·冯·西克特（1886~1936），德国军事家。第一次世界大战期间先后出任德国第十一集团军、奥匈第七集团军、卡尔大公集团军群的参谋长和奥斯曼帝国军队的总参谋长。战后于1919年7月出任德军陆军总参谋长和国防军司令（1917~1926），被认为是战后德国10万陆军的缔造者和“二战”德军之父。1933年曾来华任蒋介石的军事顾问。——译者注

西南前线的指挥官伊万诺夫将军的内心无疑赞同这一说法，他惊慌失措地向俄军最高指挥部发出了信息——他将不得不一直退到基辅。与此同时，由于完全不知道同盟国军队会在哪条线路后面尾随进攻，他不得不在北面和东面之间以非常怪异的方式撤退。6 月 4 日，德奥军队重新占领了普热梅希尔。22 日，又夺回了利沃夫。

在俄国前线，随之而来是一场更大的危机。在加里西亚的那支庞大的攻坚部队，现在前行进入了俄属波兰的南部边缘。在 7 月中旬，东普鲁士的德军则调集了另一支攻坚部队前往俄属波兰的北部边缘。这样，由于德国在波罗的海又开辟了一条战线，局势进一步复杂化。早在 4 月中旬，他们已派遣骑兵进入了那里的空旷地带，并诱骗更多俄军进入这个地区，而这里并不值得布置那么多军队——一支俄军不得不控制里加，另一支则不得不保卫立陶宛。北方新战线的开辟又提出了如何安排预备队这个常遇到的麻烦事。因此，俄军的战略境况非常糟糕，一个明智合理的目标是完全放弃波兰。然而，如此的意见本就少有，还很容易被压制。首先，撤离华沙需要 2 000 列火车，但由于必须运送马匹所用饲料，因此无法抽调出这些运力。另一个观点则是，人们认为北部的科夫诺、华沙城外作为俄国统治标志的新乔治弗斯克大型要塞，以及其他地方和各条河流上规模较小的要塞，都将起到屏障作用。在战争爆发之前，这些要塞已经花费了大量资金，配备了数千门大炮和数百万枚炮弹。为什么要直接放弃它们呢？

于是，俄军稳住阵脚开始战斗。造成俄军弹药短缺的原因，真的不是这个国家可怕的落后状态（正如斯大林和那些移居到国外的将军们断言的，所有人都在为他们的不端行为寻找借口），而是掌握权力的人们执迷不悟且屡屡判断失误。陆军部从不认为俄国的企业家诚实或具有竞争力，而陆军部负责炮兵的机构还认为，步兵总在上演那些倒霉的故事。俄国邀请外国人供应弹药，但每个供货商都把俄国列在货单的末尾，俄国送来的关于弹药规格的说明，也都像腕寸一样早被淘汰了，而且无论怎么商讨，俄国都不能直接付款（俄国使用英国的信贷方式）。但事实是俄军即便储备了200万枚炮弹，那些大型要塞还是被攻破了。在7月中旬，马克思·冯·加尔维茨将军指挥的第二十集团军携带1 000门大炮和40万枚炮弹从南面，马肯森将军指挥的第十一集团军从北面，分头前行，一路炮击，有时竟将俄军一个集团军炸得只剩数千人。到8月4日，德军占领了华沙。新乔治弗斯克要塞驻有大批守卫部队，1 600门大炮和100万发炮弹。考虑到当时欧洲其他每一个要塞都面临着重型火炮攻击的情况，该要塞的人员和物资都应撤退。但当时俄军真正的最高指挥官米哈伊尔·瓦西里耶维奇·阿列克谢耶夫将军却认为，“教会要求我们必须保卫这个要塞”。安特卫普要塞的征服者汉斯·冯贝泽勒将军带着攻城装备来到新乔治弗斯克要塞。他抓获了该要塞的总工程师，并逐一细看这位工程师提交的所有地图。德军仅用一枚炮弹就炸毁了要塞的一个堡垒，整个要塞随之在8月19日投降。与此同时，另一个大型要塞科夫诺也遭遇了同样的命运，俄军指挥官本以为它能保卫立陶宛，结果却让德军有了与在新乔治弗斯克相似的巨大收获——1 300门大炮和90万枚炮弹。

正如土耳其的一句谚语所说，“一次灾难胜过千条建议”，俄军最高指挥部终于做了件正确的事情。俄军决定撤退，而且是1812年[1]焦土战术式的撤退，身后没有留给德军任何可用的东西。从军事角度来看，这是一次管控十分出色的撤退，布列斯特–立托夫斯克被焚烧，成百上千的难民疲惫不堪地逃离犹太人聚居区涌入城市。而在德军艰难地前行进入普里皮亚季沼泽区时，他们超出了他们自己的后勤供给范围，甚至连水也成了问题。不过，由于俄军最高指挥部高估了德军对里加的威胁，采取在不同方向上撤退的策略，因此，在9月18日，德军得以偷偷穿过“斯文茨内亚缺口”，设法占领了立陶宛首都维尔纽斯。鲁登道夫想要继续推进，但法金汉则非常现实。俄军已经有100万人沦为俘虏，很明显，它已不可能干预德军在其他地方的计划了。无论如何，作为大战的操控者，法金汉完全理解在白俄罗斯为军队提供后勤所面临的困难。他清楚，那里远在德国铁道卸载点之外，没有碎石铺就的道路，俄国的铁路几乎无法发挥作用，而且，那里的铁路轨距更宽，德国的机车也无法使用。现在的优先事项是打败塞尔维亚，在巴尔干半岛的冬天到来之前建立一条与

① 这里指在1812年，俄军面对拿破仑大军的入侵所实施的战略撤退。——译者注

土耳其相连的陆上通道。法金汉拒绝了奥匈帝国关于意大利和乌克兰的计划，并把马肯森将军派到巴尔干半岛。与此同时，保加利亚政府有他们自己的野心，即打算重建中世纪的保加利亚帝国。按照德军的战略设计，保加利亚被安排从东面入侵塞尔维亚。在10到11月之间，德军征服了整个塞尔维亚。1916年1月1日，首列由柏林直通土耳其的列车抵达了伊斯坦布尔。

说明：

1　在参战的英军参谋人员中，有一位道蒂·怀利（Doughty-Wylie）上校，他离船上岸时手中的武器就只是一根手杖。他曾作为军事顾问（参与在安纳托利亚东南部地区的早期国际维和行动），与红新月组织一起参加了几次巴尔干半岛战争，支持奥斯曼帝国，并因此得到过帝国的授勋。他曾说我不会杀土耳其人，但他自己却被土耳其人杀死了。不过，他死后被授予了象征军队最高荣誉的维多利亚十字勋章。

第一次世界大战 · 1916

索姆河战役中戴着防毒面具的英军机枪小分队

第四章 1916

1915 年 12 月，协约国在尚蒂伊孔代亲王的尚蒂伊城堡也就是法军总部召开了一次军事会议。过去一年里，协约国过得很不顺利。不过，1916 年的前景要比较乐观——俄军已经解决了军火短缺的危机，英国人则正在建立一支陆军。这两个国家也能出资购买进口货物（主要来自美国），这些货物对协约国在战争方面的努力来说可算得上是生死攸关。法金汉判断出德国在时间上没有什么优势，也意识到英国是德国的主要敌人——除非能以某种方式迫使法国寻求和平，否则英国人会继续战斗。但是，德国仍在军火产量方面占有优势。与此同时，它的作战目标显然是法军，使用的作战手段无疑是大炮。到目前为止，所有伤亡的 3/4 是由有效利用大炮造成的。德军在这方面仍然保持着巨大优势，但需要把大炮布置在法军没有退路只能硬挺着遭受连番轰击的地方。对德军来说，接下来的作战地点已经很明显，那就是凡尔登。这个地方在历史上很有名气，是一个位于巴黎东北部，控制着默兹河高地的要塞，在马恩河战役中担当了法军攻防转换的枢纽。它在法国神话谱系中的地位，比伊普尔在英国神话谱系中的地位还要重要和崇高。必须保卫凡尔登！尽管从它所处的地势来说，守军很有可能会被炮火击成碎片。

这正是法金汉的想法，而且从某些角度来说也是明智合理的。在凡尔登南部，德军能够在他们占领的圣米耶勒突出部对途经凡尔登的运输线路进行炮击。如果德军能够占领默兹河东岸的高地，那么德军就能够炮击凡尔登要塞本身。而且，法军防卫部队的交通线路主要是一条蜿蜒崎岖的上坡公路，德军的运输线路则要比法军好得多。此外，冬天的薄雾和树林意味着进攻可能会取得意想不到的战果，也会取得空中优势。再者，由于法军在 1915 年霞飞将军的诸多指挥行动中遭受重大损失，因此他们不得不在极为不利的条件下进行反击，法国人将会流尽最后一滴血。德国皇储和一位出身于普鲁士历史上有名的冯·德·舒伦堡军事家族的参谋长，他们指挥的第五集团军已经做好了进攻准备，事态按照法金汉所预测的情形开始了。凡尔登十分安静，法军阵地还没有切实进行备战。1月法军最高统帅部的视察曾造成守军一定程度的恐慌，将军们很可能正好想要放弃凡尔登[①]。但政客们随后接替将军们掌控了局面，并指出法国的荣耀不允许法军退出凡尔登。德国皇储只须调集九个师，因为最终的战斗力取决于7周内由1 300列军需列车运送来的大炮。不过天气条件造成了一定的延误，这给了法军加强备战的时间，也许这是具有决定性意义的一段时间。2月21日，德军动用1 200门大炮，其中一半是重型火炮或曲射炮，在8小时内对一条8英里长的战线发射了200万发炮弹。在最初的3天中，德军采用新战术，动用喷火器等新武器，向前推进了几英里。战斗的标志性成果是德军占领了法军有意放弃的大型堡垒杜奥蒙堡（堡垒的混凝土十分厚实，它当然也就成了德军最猛烈

① 1916年1月，德军最高统帅部为进攻凡尔登，向香槟地区增兵佯装进攻该地区，以霞飞将军为首的法军统帅部上当受骗，错误地以为凡尔登已不具有战略意义，一度打算放弃。——译者注

炮击的一个明显目标，不过德军在占领后发现，是法军大炮炸毁了这个堡垒）。法军只选择性地利用了堡垒外围的战壕，德军通过侦察幸运地占据了杜奥蒙堡。

但是，法金汉的想法也存在着缺陷。200 万发炮弹当然能够使生活在一条 8 英里战线上的任何生物化为灰烬，但这条战线还没有长到能够应对默兹河西岸的法军。从双方军队的布置来看，法军能够对推进到右岸的德军实施侧翼射击。凡尔登的守军指挥官菲利普 · 贝当[①]很清楚他要做什么，也知道德军的势头已有所放缓。法金汉必须设法解决左岸问题，在此期间，他又不得不在右岸避开尼维勒，这位矢志成名的将军发动的自杀性反击。在失去杜奥蒙堡之后，法军没有崩溃，恰恰相反，德军无法占领默兹河东岸的那些具有决定意义的高地。与此同时，凡尔登保卫战已演变成了一部民族史诗，

① 亨利 · 菲利浦 · 贝当（1856~1951），法国陆军将领，也是法国维希政府的元首。1878 年毕业于圣西尔军校，第一次世界大战期间因领导 1916 年凡尔登保卫战而成为法国人心目中的英雄。在法军索姆河惨败后，他在最黑暗的时候重振了法军的士气。“二战”法国战败后，出任维希政府总理，1940 年 6 月 22 日与德国签订《贡比涅森林停战协定》。1940 年 7 月到 1944 年 8 月任维希政府元首，成为希特勒德国的傀儡。1945 年 4 月被捕，同年 8 月 15 日因叛国罪被判死刑，后改判终身监禁。1951 年 7 月 31 日死于囚禁地耶岛。——译者注

有点儿像1940年的伦敦保卫战，整个法国群情激奋。交战双方的公众舆论也已被煽动起来，法金汉那有限的作战目标反倒被忘记了。到此时为止，战斗已造成法德两军近75万人的伤亡。

法军依靠一条临时改扩建而来的公路——被称作“圣路”[①]——为凡尔登前线提供补给。平均每14秒就有一辆卡车通过这条公路。在晚上，卡车的前灯还要减光，以免被德军发现。法军的各个师都已经轮换过，他们几乎都要在这条战线上至少待上两周时间。与此同时，法金汉意识到德军必须压制住默兹河西岸的炮火。因此，在3月和4月期间，他集中德军，主攻那里的法军。法金汉本人很可能倾向于中止在凡尔登的军事行动，但这已经变成了一个事关威信的问题，德皇亲自参加了庆祝攻陷杜奥蒙堡的活动，并当面激励皇储继续战斗。德军确实占领了西岸的两个高地，即霍姆山和304高地。随后又把注意力转移到了默兹河东岸，并在5月

---

① 指巴勒迪克到凡尔登的一条公路，这是一条长约35英里的次要公路，几千名法国军民日夜奋战，拓宽公路。在凡尔登保卫战期间，有50多万部队和17万头用来拖拽大炮的牲畜从这条公路运往前线，因此被称为“圣路”。虽然这样称呼有些亵渎神灵。——译者注

和6月期间攻占了沃堡，但沃堡根本不是德军要秘密进攻的地点，而是以为法军会在此地发起进攻。在凡尔登战役开始之时，法军的损失要远超德军，但到现在，双方的伤亡人数已经持平。当6月23日德军发起最后一次大规模攻势之时，凡尔登战线上的德军已成强弩之末，难占上风。此后，精力充沛的法军新指挥官尼维勒将军组织了一次计划周密的反攻，重新夺取了那些被德军占领的堡垒（让·雷诺阿导演的优秀影片《大幻影》中有一个镜头，战争中被俘的法国士兵发疯了，狂喊着杜奥蒙堡是我们的）。凡尔登战役也给了法国“他们不会通过[①]”这样一个战斗口号。但在某种意义上说，凡尔登战役严重削弱了法军，或它至少使法国虚弱到再也没有能力实现真正复兴的程度，也就是说，凡尔登战役是法国作为大国的最后时刻。当这个国家在1940年真的沦陷时，部分原因就在于法国人民不想再经历一次凡尔登战役。

如果法金汉能够为奥军提供援助，那么，也许真有可能把意大利淘汰出战争，这是奥匈帝国的作战目标。5月中旬，

① 这是菲利普·贝当将军在凡尔登战役最艰难时刻对法军和法国人民发出的号召，极大地提振了法军士气。——译者注

奥军从特兰蒂诺地区发起进攻，希望能够突然出现在威尼斯平原，甚至能够在威尼斯东北部的伊松佐河上消灭全部意大利军队。这是一个非常大胆的作战计划。天气仍然寒冷，奥军使用装有吊椅的缆车拖拽着重型火炮，上演了一幕幕奇迹。这使得奥军在重型火炮方面有着3倍于意军的优势。此外，康拉德把他最好的6个师从东线调到意奥战场，这样他在兵力上也具有了微弱优势。在几天的时间里，奥军就已经接近两国边界的高地。但像往常一样，防御一方的交通线路要更好，而发动进攻的一方往往会疲惫不堪，这是战争中唯一真正令人遗憾的事情。菲亚特公司的卡车为意军运来了进行反攻的预备队。如果法金汉能够支持康拉德，那么，德奥联军就能够轻易地、彻底地打败意大利，但是，两人的关系非常不好，法金汉甚至不把计划告知康拉德，康拉德也是一样。结果，德奥联军进攻意大利的提议也就从没被德奥这对盟友认真考虑过。

在俄国战线上，也进行了一场具有决定意义的战斗。不过，它的决定意义在于它使得大部分俄国将军不能继续享受他们的偏爱的生活了。根据《尚蒂伊协定》，他们必须采取行动来援助凡尔登战役中的法军。因此，在早期的军需供给问题得到解决的情况下，俄军北方面军于3月18日在白俄罗斯的纳罗奇湖附近发起了一次攻势。有些事情不可做，纳罗奇湖战役就是其中的一个典型。部队被迫在雪地里行进，而且很容易被德军飞机发现位置。甚至总部的炊事员都在讨论进攻何时发起。冰雪已开始融化，白天是冰冷的泥浆，晚上又成了上冻的泥块，这意味着炮弹要么会被浸湿失效，要么会四下乱飞。除此之外，轻型火炮炮手和重型火炮炮手之间发生争吵，彼此间没有配合，造成炮击在开始时毫无成效，成为了斯米尔诺夫将军的声光表演秀。炮击变得无足轻重。在造成10万人的伤亡且没有取得任何战果之后，俄军停止了进攻。与其他著名的战役相比，纳罗奇湖战役很可能是这次战争中指挥最差的一次。有教养的俄国人开始以嘲讽的姿态看待沙皇统治集团了。米哈伊尔·莱姆克（Mikhail Lemke）是俄军最高指挥部宣传机构的负责人，也是黑格尔著作的俄文译者。他在1918年出版的日记就是对俄军将领嘲弄的记录——斯米尔诺夫将军年纪太大了，他能得到任命，完全是因为一些涂脂抹粉的老太婆在宫廷中密谋的结果。长着蛤蟆眼和干柴一样短腿的别佐布拉佐夫（Bezobrazov）将军甚至比斯米尔诺夫将军还糟糕。库罗帕特金（Kuropatkin）将军倒是想出了一个妙计，即在午夜时分，突然打开探照灯，很可能会使德军眼花缭乱。他却没有想到，黑暗中的攻击者会有身影显现，会很容易成为被攻击的目标。库罗帕特金将军被解除职务。不过，沙皇念及他的感情，不想让他以为他被解职是因为年纪太大的缘故。因此，沙皇非常体贴地告诉库罗帕特金将军，他只是已不适合履职，改由一位年纪更大的将军来接替他。莱姆克在日记中窃笑不已，对俄军将领充满怀疑，但更大的不满已在酝酿中。在纳罗奇湖战役之后，在接下来整整一年半的时间里，俄军北方面军没有采取任何军事行动，他们疲惫不堪，后勤供应的食物质量很差，士兵常常空腹偷喝那些受到污染的饮料——对于很有可能大规模发生的军队哗变来说，这种状况倒是真正的药方。

当时，另有一场没有真正交战的战役，却有着与纳罗奇湖战役基本相同的决定性意义。提尔皮茨[1]的德国海军和英国

---

① 阿尔弗雷德·冯·提尔皮茨（1849~1930），德国海军之父，海军元帅，1914年到1916年3月出任德国海军司令。——译者注

皇家海军主力舰队都成了书挡，安静地停在那，一个待在威廉港，另一个则停在苏格兰北端的斯卡帕湾。由于受到水雷和潜艇的威胁，两国海军基本上都没有进行调动。在战争爆发以前，双方就已经非常明确地意识到会发生这种情况。英国人也一直在设法向德国领导人灌输下面一种观点——英德两国的战舰永远不会交战，可双方却在这方面浪费了巨额资金。5 月 31 日，凡尔登战役仍在进行的情况下，德国海军舰队开到海上，打算摧毁行动迅速的英海军战列巡洋舰，因为这些英军战舰有效地阻止了德军对跨英吉利海峡运送部队发动的进攻，而且这些英军战舰还阻止了德军向更广阔的海洋派遣抢劫商船的武装快船。由于出色的情报工作，德国海军的行动并没有令英国人感到震惊。但出于对水雷和鱼雷的担心，英军的两支舰队都非常小心地前行。不过，英军最新的战列舰装有动力强大的涡轮机和多门巨型大炮，因此，射程非常之远，以致战舰几乎不必看清对方就可以发射炮弹（尽管射中精确性较低，大部分炮弹都不会击中目标）。在某种意义上说，这与西线的情况一样——英军拥有巨大的优势，但控制力却非常有限，甚至是毫无希望。英国皇家海军依靠旧式的信号旗，因此很难知道即将发生的事情。与此同时，英军指挥官杰里科 · 舍尔将军行事十分谨慎。他清楚，如果有一项行动出错，他就可能在一个下午输掉这场战争。这样，日德兰海战[①]只持续了几个小时，英军方面出动了 150 艘战舰，德军方面则出动了 100 艘战舰。结果，在德军明智地撤退之前，英军损失了 14 艘战舰，德军损失了 11 艘战舰。德军当天的表现要好于英军。英海军战舰的防御装备较差，而且只有极少的防水舱壁。但德国海军官兵认为他们自己已是死里逃生，因为他们无法通过舰队行动消除英国海军的优势。当时，德国的海军上将已打算动用潜艇来取代战舰。而让公海舰队[②]仍然停在港湾中。就这样，德意志帝国处在了被心怀愤恨又醉醺醺的水兵推翻的危险之中，而且在两年半后，这

① 日德兰海战（1916 年 5 月 31 日~6 月 1 日），德国称为斯卡格拉克海峡海战，是英德双方在丹麦日德兰半岛附近北海海域爆发的一场海战。这是第一次世界大战中最大规模的海战，也是这场战争中交战双方唯一一次全面出动主力舰队的决战。最终，舍尔海军上将率领的德国公海舰队以相对较少吨位的舰只损失击沉了更多的英国舰只，从而取得了战术上的胜利；杰里科海军上将指挥的英国皇家海军本土舰队成功地将德国海军封锁在了德国港口，使得后者在战争后期几乎毫无作为，从而取得了战略上的最终胜利。——译者注

② 公海舰队，指第一次世界大战结束前的德意志帝国海军的水面作战舰队。——译者注

一危险竟然变成了现实，从这个方面来说，公海舰队确确实实变成了一支“危险舰队”。

就在“一战”开始时，英国人本不希望建造一支陆军，数量庞大的志愿兵已弄得英国当局不知所措。不过，他们现在的处境使得他们必须在建立“新军”（英国人称他们的陆军为新军）这个问题上有所作为，而且，法国的危机状况也使得这个问题具有了一定的紧迫性。《尚蒂伊协定》规定，法英两军要协同努力，而且在起始阶段要有法国人来领导。英军新指挥官道格拉斯·黑格将军更愿意在佛兰德斯地区发起进攻，这样就有可能扫清比利时沿海的德军。但是，在皮卡第的主要城市、横跨索姆河的亚眠市周边，英法两军已紧密相连。就在这一区域，罂粟花每年都会盛开，它们已成为了英国纪念战争中牺牲亡灵的传统方式。

在索姆河一线发起进攻，没有任何特殊的战略意义。黑格将军实际上仍在幻想突破德军防线后，骑兵就能够涌入打开的缺口。但是，如果说骑兵在任何情况下都能够大量进入敌军阵地，并比步兵更有威力，这在其他地方倒还有可能，可在索姆河战线骑兵已无机会。因为德军早在1914年就已经沿着山脊加固了防线，虽没有达到绝对意义上的牢不可破，但相对来说确实已是固若金汤，这使得德军的大炮能发挥更大优势。同时由于德军防线的地下水位较低，减少了他们脚下的地面变成泥浆的可能性，从而为他们提供了又一便利条件。黑格将军能够采取的最好的行动就是抢占那些山脊。然而，由于当时的英国军事工业已经能够造出数千门大炮和数百万发炮弹，因此和其他国家的部队一样，英军也有一种普遍的想法，即发动大规模炮击，同时对20英里长的战线发起进攻（长到前进的部队不致遭遇纵射）。

黑格将军不信任他手下士兵的能力，因此他依赖连续的压倒性炮击。对于“一战”前的任何一位士兵来说，可靠有效的战备物资似乎都非常庞大。但考虑到这次战争任务的规模和范围，真实情况已不是这样。“一战”中还出现了其他几个问题，首先，大量的炮弹是“哑弹”或射程才短无法击中目标；其次，炮兵没有接受适当的训练，不足以胜任作战任务，这次战役中决定成败的是“徐进弹幕射击”，也就是用弹幕在步兵前面50码左右稳步推进，压制住防御者并打得他们完全抬不起头来。然而，这也意味着所需要的通信和指挥水平都完全超出了当时英军的能力。电话和收音机很容易被破坏掉，信鸽数量又不足，因此，不得不靠一位蹲坐在树上或高层建筑物上的侦察员来指挥弹幕射击，而侦察员本身往往又成了一个显眼的目标。不管怎么说，部队的学习能力仍处在初级阶段。黑格将军的炮兵专家是在战役打响前的最后一刻才被找来，他寄望这位专家和其他两个人一起分担他的职责，可又不许专家携带任何参考手册，更不允许携带与训练炮兵这个主题有关的任何外国文献。而当英军的作战指南中庄严地声明“精确性是这次战争的新要求”时，就暴露出了英军自身存在的问题。

与此同时，步兵本身也几乎没有受过新的训练，还和1914年时的法军一样，只是要求执行最简单的战术——军官们大步走在队伍前面，士兵们按照死板的、长长的横队向前推进。

最后一个问题出在军需部门，它还在生产榴霰弹。这种武器在敌方防御阵地的上空爆炸，炮弹射向四面八方。很自然，它对切断铁丝网可能有用，可对于德军正在建造的极深的地下掩体却无可奈何。同时，英军没有足够的在击中目标之后才爆炸的榴弹（特殊的导火线能够让炮弹钻入地下后再爆炸，爆炸推迟几秒钟能够真正摧毁铁丝网）。再有一个问题就是以业余水平管理列车运行——亚眠和阿布维尔之间18英里长的铁路，拥挤不堪。直到黑格将军这位平常就脾气火暴的苏格兰人抵达并解雇了所有重要人物之后，这个问题才得到解决。

从6月24日起，英军开始了持续一周的炮击，当时正值德军在凡尔登发起最后一轮攻势逐渐减弱之际，因此英军期望能够就此摧毁德军的一切。但400门重型火炮和1 000门野战炮不足以摧毁德军纵深3英里和长达20英里的防御体系。英军开始炮击，这是警告德军一场进攻即将开始，炮击已经把前线翻腾成平常完全无法通过的泥浆。德军在山脊上挖了很深的战壕，并把用混凝土建造的防御工事连成一线，因此，根本无法摧毁。在应对英军自7月1日从战壕中发起的步兵进攻时，德军的大炮仍然非常有效，而且他们还有成排的机关枪，德军的军官有时还踢足球来激励士兵的信心。伊顿公学、牛津大学、剑桥大学和爱丁堡大学阵亡将士纪念碑上的人名在持续增加（牛津大学新学院和剑桥大学三一学院为了自身的声誉，还加上了一些阵亡的德国人和匈牙利人的名字）。仅在7月1日这一天，英军就有2万人阵亡，这是整个英国军事史上最惨重的灾难。也是在这一天，另有37 000名英军受伤，但几乎没有取得任何战果——在马梅茨（Mametz），英军右翼攻占了德军的一段防线，但在其他地方，却一无所获。东南方向的法军倒是打垮了德军的整个第一条防线并向第二条防线推进，但他们在每英里防线上都动用了比英军更多的大炮。凡尔登战役中艰苦的磨炼让法国人学到了这样的战术。

由于缺少炮兵这种完全压倒性的优势，且当时炮击本身就严重受限，因此，英军面临无法实现黑格将军想象的那种突破。从7月初到11月，迫不得已的现实有时会使黑格将军备感困扰，而每当这种紧迫性发威时，他也就会把英军限定在准备充分的地段，设定十分有限的目标，而后才采取行动。相应地，英军也就时不时地取得了一些小规模的胜利。这样，7月中旬参战的南非军人部署有序，在一条范围不大的防线上曾有所推进。但随后骑兵赶到，却没再取得任何进展。总之，在7月和8月也就是战役的第一阶段，在狭长的战线上，由于行动缺少协调招致敌人重炮射击造成的损失，要高于战役打响的第一天，对此无须更多的解释。实际上，德军方面也有许多担忧，这主要是由于英军大炮的威力——从7月2日到11月中旬，英军一共发射了700万发炮弹。对历年的德军军装研究之后，就能发现当时的德军军需品极度紧缺。在这次战役的中间阶段，德军最高统帅部命令德军收复失掉的每一寸土地，无论它是否还具有作战价值。从这个方面来看，进行防御的德军付出了更惨重的代价。

到9月中旬，黑格将军开始准备一场新的攻势，一场使用一种新式武器“坦克”的攻势。这是一种极为惊人的金属怪物，依靠履带行动，小型武器的射击对它毫无影响。许多发明家都声称自己发明了这种武器。不过，不管怎么说，H·G·威尔斯（H.G.Wells）[①]曾在他的小说中设想过坦克车。由于丘吉尔的缘故，“坦克”的研制是在海军部而不是在陆军部领导下进行的。和德国的陆军部的情况一样，英国的陆军部还有其他事情需要操心。“坦克”这个称呼也是在实验过程

---

① 赫伯特·乔治·威尔斯（1866~1946），也译成赫伯特·乔治·韦尔斯，英国著名小说家，尤以科幻小说著称于世，《时间机器》、《星际战争》等作品脍炙人口。他同时还是一位社会改革家、历史学家和预言家，是英国费边社的重要成员，他所著的《世界史纲》也是畅销世界的名著，在中国有很大影响。——译者注

中所使用的代号。当时，坦克已经成了某种神话，但它本身还是存在着局限性。坦克的内燃机还没有真正发展到足以承载这个 30 吨重武器的程度，而且它很容易损毁，移动也非常缓慢。此外，虽然坦克的装甲十分厚重，但一发打击精准的炮弹就能使它失去行动能力。事实上，坦克需要与飞机和步兵等其他武器和兵种协同作战。因此，战场上的真正王者仍然是大炮，英军已经认识到了这一点，他们能够理解“徐进弹幕射击”的重要性。在 9 月中旬的时候，黑格将军一直没有想象出坦克和步兵能够协作的方法，同时由于担心坦克被德军击中，因此他没有使用坦克。这样，坦克首次亮相战场时并没有一鸣惊人。当时和以往一样，骑兵挤满了阵地的后方区域，等待着从未到来过的突破。不过在 9 月下旬，英军采用压倒性的炮击策略，攻占了德军的部分防线。像这样规模不大的一系列成功，导致黑格将军认为只要他坚持作战，就能取得伟大胜利。实际上除了从这个方面来看待英军的行动之外，英军的炮击已不再有重要意义。黑格将军确实是在坚持、坚持，结果在充满了泥浆和雨水的 11 月，索姆河战役逐渐平息下来。官方历史学家站在黑格将军这一边，他们为整个战事提出的辩护理由是这些战役打垮了德军的士气，历史学家甚至宣称索姆河战役消灭了60万德军，与此相比，英法联军才损失了40万人，从而颠覆了进攻性战役中双方损失的常规模式。C · S · 弗雷斯特（C.S. Forrester）曾写过一部名为《将军》（*The General*）的小说，他在书中尝试理解那些高级军官是如何让这些战事成为可能的。他注意到，西线的将军们都在像拧螺丝一样集中一点进攻，每当遭遇抵抗，他们就力图进行更猛烈的攻击。如此紧迫的形势，让战役不得不这样打，但将军们在前线的这种学习过程却是漫长又充满了血腥。

在这个时期，只有一位高级将领较早地理解到了这一点，他就是俄军将领阿列克谢 · 阿列克谢耶维奇 · 布鲁西洛夫[①]，他在西南战线指挥俄军对抗奥军。另一战线的那些年老昏聩、神经兮兮的指挥官们基本上都放弃了希望，他们都认为德军不可战胜。5月下旬，意大利方面恳请俄军发动一次牵制性

---

① 布鲁西洛夫（1853~1926），俄国历史上杰出的军事家，骑兵上将。"一战"初期任俄第八集团军司令，1916年3月17任俄西南方面军总司令。1916年6月，发起著名的布鲁西洛夫突破，以正面重点进攻和多点辅攻同时并进的新的作战方式，摧毁奥军防线，并取得了重大军事胜利，他本人也被认为是"一战"期间俄军唯一令人尊重的将领。——译者注

攻势，那些将军们摇头拒绝，理由是他们的部队没有他们认为必需的大量重型炮弹。当布鲁西洛夫将军毛遂自荐去发动进攻时，招致了更多的蔑视和否定。但他已经对整个事态进行了通盘考虑。

这次世界大战的一个问题是，各种战争方案之间彼此相斥。如果你试图突破，那就意味着要把庞大兵力和军需补给调到前线。因此，不会有任何突然袭击，开始阶段的大规模炮击也会确保这一切成为现实。但敌军方面也会调动手中的预备队。这样，所有的事物都将被夷为平地，纯粹的炮击优势也许确实能够形成突破。部队随后将以每小时两公里左右的速度步行推进——如果进行射击的话，要更慢——因为每个士兵都不得不携带他们生存所需要的物资，包括挖掘战壕的工具、水，等等。与此同时，敌军将会打造新防线，会通过火车或卡车（或像法国那样，通过公交车）把预备队调到前线。已经饥肠辘辘的马匹，疲倦地在泥浆中向前拖曳着大炮，劳累不堪的士兵在没有校准新目标的大炮支援下发起了又一次攻击。结果就是 1915 年 9 月法军在香槟地区以及后来英军在索姆河地区发起攻势所遭遇的情况。取胜的关键必须是打乱敌军的预备队，这意味着要在几个地方同时发起进攻，这样敌军的预备队就会不知道行进到哪里作战。这同时意味着还要近距离炮击，要在相对宽阔的战线发起进攻，这样当地的预备队也一样会不知所措（像凡尔登战役中所遭遇的纵射问题也会得到克服）。这是极为大胆的战略，需要训练有素的官兵。布鲁西洛夫的总部成员不为繁文缛节所累，命令简洁扼要，淋漓尽致地显现出了他们的素质。布鲁西洛夫将军的领导才能在重视士兵全力进行战事准备——建造庞大的地下掩体和在不引人注意的情况下校准大炮方面——得以体现。布鲁西洛夫将军指挥着 4 个集团军，每个集团军都将发起进攻。

在奥匈军队的防线一侧，一切都那么静谧。在防线的北部，指挥第四集团军的约瑟夫 · 斐迪南大公正和他的老朋友们在斯蒂尔河上泛舟享乐，谈论着“我们牢不可破的阵地”（一些地下掩体甚至安装了玻璃窗）。当布鲁西洛夫命令最北面的那支集团军于 6 月 4 日发动持续 4 小时的炮击时，奥军方面几乎完全惊呆了。天气干燥多风，奥军的阵地已经干透，他们很快崩溃，溃逃扬起的大片尘雾，遮挡住了进攻俄军的视线。奥军当地的预备队也消失了，被切断联系的部队往往都会轻易地弃战而逃。对于那些进行抵抗的坚固据点来说，布鲁西洛夫将军也制定出合理的战术，即完全忽视它们，督促他的士兵尽可能地前进去打乱甚至切断敌军的指挥系统。这天快要结束时，奥军第四集团军也已经接近崩溃，一封发往维也纳的电报说“全军尽殁，皆成俘虏”。在这种情况下，预备队本应到达前线来封锁敌军冲开的缺口。但在这一点上，布鲁西洛夫将军也找到了应对之策，因为他的其他几支集团军也发动了进攻。而远在南部的罗马尼亚边境地带，奥军还面临着另外一场危机。驻守当地的奥军第七集团军（由可敬的弗朗泽 · 巴尔丁将军指挥，动用的是匈牙利的部队，其忠诚无可怀疑）发现，他们在普鲁特河两岸的撤退导致了混乱。俄军西南方面军中间的两支集团军，虽没有像其他集团军那样采取突然的、大规模的行动，但也取得了可观的进展。防御者的预备队都去哪儿了呢？他们先是向第四集团军那里进军，随后上级撤回了这道命令，并要求他们回到原地。所有这一切要么是步行在热气腾腾、灰尘满天的公路上，要么是通过运行十分缓慢的列车完成的。结果，预备队要么是根本就没有投入战斗，要么是只有几支小分队参加了战斗。布鲁西洛夫将军率领俄军沿着防线推进了 60 英里，抓获了 35 万名俘虏。几乎不必感到惊讶的是，现在，奥军中的捷克和鲁塞尼亚军人的士气确实出了问题，这需要冷酷的普鲁士军士以其坚定的风格来帮助他们克服这道障碍。德军随后要求将奥匈帝国的军队并入德军，这是奥军能够生存下来的代价。兴登堡和鲁登道夫在不久之后就成了奥军真正的指挥官。军队混编有时会降低战斗水平，也使曾经独自拥有一支军队的奥匈帝国很难退出战争。

但是，不管怎么说，布鲁西洛夫将军还是忘记了他那获胜方案中的最后一个要素——要知道何时止步。整个俄罗斯都因他的胜利而沉醉于狂热之中，协约国中的盟友也都期待着出现良好局面。这样，在炎热的夏季，他的部队被迫向前推进，士兵们都筋疲力尽，还都面临着常见的军需补给问题，尤其是缺水，因为小河都已干涸。与此同时，奥军从意大利战线，德军从东线的北边甚至从受到威胁的西线抽调兵力赶过来，并在靠近科韦利和弗拉基米尔沃伦斯基的铁道卸载点附近筑造起一条新防线。俄军的骑兵和往常一样，表现得毫无战斗力。为战马提供饲料使得补给问题变得更加糟糕。俄军的进攻效力在减弱，而它的大部分预备队又都布置在德军控制的那部分防线附近。受到布鲁西洛夫将军获胜鼓舞的俄国将军们，于7月初在林木茂密的巴拉诺维奇地区——在1914年，这里曾是俄军最高指挥部所在地——又发起攻击。但这次进攻大体上和过去的其他进攻一样，即在一阵低效但有破坏性的炮击之后，步兵正面猛攻，将军们接着就会理所当然地把这种毫无成效的进攻作为不采取更多行动的借口。

在7月初的攻势之后，俄军的预备队被派往防线的南部来支援布鲁西洛夫将军。这批预备队的主要特点在于它是一支全新的“特殊部队”，大体上由沙皇近卫军的两个步兵军和一骑兵军组成。从旧军队的标准来说，这些新兵们都非常优秀，但他们没有在现代战争中得到过锻炼，所接受的战术也只适合上一代人的战争。他们的指挥官别佐布拉佐夫将军是沙皇的老朋友，年纪很大，与各军的指挥官倒是相配。从7月中旬开始，这支近卫军对科韦利市周围的沼泽地带进行每两周一次的猛攻，期望在这里的进攻能够从侧面切断德军的铁路。参与战斗的德国将军冯·德·马尔维茨指出，这里的战斗结果与西线的情况相似，俄军的尸体已堆积如山。别佐布拉佐夫将军请求休战来清理死尸，但遭到拒绝——成堆的官兵尸体可能是对未来会发起进攻的最大震慑力量。在8月里，俄军的攻势归于沉寂！

不过，俄军确实把罗马尼亚带入了战争。罗马尼亚的领导人清楚塞尔维亚的命运，一直对德奥的干涉提心吊胆。但协约国强力施压，同时把匈牙利的部分领土作为它参战的丰厚回报，并承诺从巴尔干半岛南部——自1915年以来，协约国在萨洛尼卡获得一个军事基地，部分由残余的塞尔维亚军队镇守——发起一次进攻。柏林和维也纳也出现了恐慌——法金汉被解职并被派到新防线指挥第九集团军。但罗马尼亚人几乎没有任何实战经验，尽管他们的士兵身强体壮，但他们的军官却对战争知之甚少。而且，他们的作风令观察家们惊呼不已（在罗军的前几条命令中竟有一条规定下级军官不许使用眼影膏）。这样，罗军犹犹豫豫、步履迟缓地跨过喀尔巴阡山脉隘口，进入特兰西瓦尼亚地区，随后就引发了军需供给的混乱。

由于布鲁西洛夫攻势失去了冲击力（已造成俄军百万人的伤亡），同盟国得以勉强地将军队拼凑在一起，其技能熟练的山地部队进入了喀尔巴阡山脉隘口。与此同时，在萨洛尼卡的协约国部队不只是要面对补给问题，而且有反复暴发的疟疾，城市本身还遭遇了一场大火。因此，一支由德国人、保加利亚人和土耳其人混编而成的部队得以自由地跨过保加利亚的多瑙河边界，从北面发起进攻。罗军在应该优先守卫哪条防线方面犹豫不决，先是选择了其中一条，而后又选择了另外一条，结果两条防线都告失守。到 11 月初，同盟国的军队越过了特兰西瓦尼亚地区阿尔卑斯山脉的隘口，同时也跨过了多瑙河。罗马尼亚军队面临着拦腰切断的危险，于 11 月 7 日撤出首都布加勒斯特，在吵吵闹闹的俄军保护下，借着燃烧油井造成的没完没了的烟雾，退往在摩尔达维亚山区建立的新防线。

1916 年，19 世纪的欧洲时代结束了。奥匈帝国的皇帝弗朗茨 · 约瑟夫于 11 月 21 日驾崩，这是一个时代落幕的最合适的象征。弗朗茨 · 约瑟夫生于 1830 年，正值铁路和议会自由主义（parliamentary liberalism）初现的时代。他成了奥匈帝国各民族的老爷爷，能够说帝国境内所有民族的语言。现在，1916 年，民族主义在横扫挡在它面前的一切。在一些媒体的煽动下，广大民众史无前例地卷入其中。现在要求国家承担的任务已远远超过1913年，而国家要么印刷纸币，要么把直接把租金提高到闻所未闻的水平来支付完成任务所需的一切费用。在1916年年底，伦敦出现了旧世界终结的另外一个标志——在投票表决是否可以没收在尼日利亚的敌人财产问题上，老的自由派主导的联盟失去了议会的多数支持。极端保守的人士对发生在那里的屠杀感到惊骇，他们渴望和平，但他们不再拥有任何权力。正如俄国人口号宣传的那样，在所有国家，1916年的经历只是制造了“为最后胜利而战”的要求。英国出现了一位新的战争领袖，戴维·劳合·乔治，他想要的是“致命一击”。

第一次世界大战·1917

在一次无名战斗中经过一个教堂的东加利西亚俄军

第五章 1917

大规模战争往往都会形成属于它们自己的势头。正如有些德国历史学家所指出的那样，1914 年时的政治家是从“内阁战争”的角度来思考战争的，也就是说，他们认为少数领袖人物的意志决定了战争的发动和停止。但是，由于大规模的征兵、士兵生命的巨大损失、对敌人的切齿痛恨，以及没有哪个政客能够忽视的公众舆论，一些人承认战争是个彻头彻尾的错误，但仅仅只是承认战争是个错误已经完全不可能结束战争了。奥匈帝国的皇帝弗朗茨 · 约瑟夫想结束战争，教皇和威尔逊总统也有这样的打算，但他们都被人们弃之不理。

在 1916 年和 1917 年交替之际，一些激进的领导人出现在历史舞台中央，他们提供了一种或另一种劳合 · 乔治版本的“致命一击”。这场悲剧中的另外一种新思路是，在交战双方看来，致命一击似乎是完全可能发生的。德国的新领导人尤其是鲁登道夫，可能意识到西线陷入了僵局。但是，潜艇能够迫使英国人投降——为什么不试试呢？当时，德国政坛左派中的少数人确实与支持战争的社会民主党决裂，但并不存在其他重大的反对力量。相反，德国变得比以前更加军事化。“兴登堡计划”使得16岁到60岁的每位男性都有义务参与战事，并且出口贸易要翻两番（德国做到了）。

同样，在法国，罗贝尔·尼维勒这位在凡尔登战役中赢得声望的将军，出任了新的总司令：他精力充沛，承诺给法国带来伟大的胜利。而年迈的霞飞将军却被如何获得伟大的胜利所难倒，他当时刚刚晋升为法国元帅，却被要求靠边站。尽管法国失去了北部工业区，但法国政府在内战时还是在经济方面取得了进展。因此，尼维勒将军自信地承诺，他能够运用数学方法，即把新的步兵作战手段与谨慎操控的“徐进弹幕射击”结合起来，赢得战争。

第五章　1917

德国人率先把这种“血战到底”的情绪转变成了实践。他们宣布进行无限制潜艇战。这是一项革命，因为这导致了美国可能会加入协约国方面。美国与英国的贸易大幅上升，美国的大部分经济也依赖这种贸易。在当时，英国是美国的最大海外投资方，这些投资都被低价出售用来负担从美国的进口。如果潜艇失事让美国贸易中断，并造成平民溺毙，那么会发生什么事呢？正常情况下，美国人根本没有任何参战的意愿，美国总统伍德罗·威尔逊一直在呼吁双方妥协，实现和平。但德军的U型潜艇（U-Boats）改变了这一切。

不过，德国新的最高统帅部明确地意识到，按目前的情况德军在西线根本无法获胜，因此，他们寄希望于海军。与此同时，海军当局出于职业所带来的骄傲，也对他们庞大的战舰无法发挥作用感到愤慨。差不多在战争刚开始时，德国海军将领们就已经发现潜艇能够发挥何等的战斗力了。当时，U–9号潜艇曾一举击沉英军的三艘巡洋舰[①]。如果德国海军能够用鱼雷击沉为英国供应货物的民用船只，那么英国的海上

---

① 这里说的是，1914年9月22日拂晓，德海军U–9号潜艇在距离荷兰海岸大约20英里处，意外击沉英海军3艘巡洋舰一事。——译者注

生命线就会被掐断。德国人正在经历1916年到1917年的"芜菁之冬"，英国人也将遭受同样的物资匮乏。但德国人要面对两大问题。第一个问题是合法性问题，国际法禁止在未加警告的情况下击沉民用（也许是中立国的）船只。而且舆论认为，商船上的人们应有机会逃到救生船里，但无论如何民用船只轻易不可携带战争物资。可是，这些观点被德国人普遍地贬斥为"人道主义的蠢话"。不管怎么说，当时大部分德国人都确信英国人在试图饿死他们。同时，他们也由衷地确信，美国过多地帮助了协约国——美国的银行提供信贷，确保了英镑和贸易的国际价值，并维持了法国在战争时期的经济运转。如果美国确实进行干预，那和目前的情况会有什么真正重大的差异吗？

第二个问题则更加重要。1915年时德军还没有足够的潜艇——共有54艘，大部分还只能携带4枚短程鱼雷。人们都以为，如果德国潜艇在英国海域遇到船只，它应该会浮出水面，询问船只上装载的东西并进行检查，而后在船只沉没前允许船上的人们在适当的地方登上救生船。可是，这套方法——"巡洋舰规则"——会使潜艇暴露在掩蔽的机枪之下。而另一套方法则是让鱼雷在水面下静静发射，见船就击沉，甚至是载有妇女和儿童的船只也不例外，这被认为是野蛮和不人道的（丘吉尔在1914年时曾说，他甚至无法想象会有人使用这种方法）。在1915年初的几个月里，为了反击英军的封锁，德国海军宣布实行“无限制潜艇战”，即见船就击沉，并在不列颠群岛周围划定了禁航区域。1915年5月7日，卢西塔尼亚号客轮被击沉，真真切切地造成了大量平民丧生（共1 201人，其中有128位美国公民）。美国政府对此予以强烈抗议。由于当时德国海军还没有足够的潜艇，因此，柏林方面发表声明放弃“无限制潜艇战”，并同意遵守“巡洋舰规则”。但在1916年，德国建造了108艘潜艇，并在比利时的泽布鲁日为轻型潜艇建立了一个新的避风港，直接威胁英吉利海峡的运输。德国海军预测，在1916年年底他们就能够为一场新的“无限制潜艇战”做好准备。海军提交了多份数据报告，并带来了柏林大学的两位最著名的经济学家马克思·泽林（Max Sering）和古斯塔夫·施莫勒（Gustav Schmoller），就潜艇战能够摧毁英国经济所发表的意见。这两位经济学家补充说明了英国经济将会崩溃，尤其是如果齐柏林飞艇能够对英吉利海峡各港口的粮库投掷炸弹的话。他们的观点让德国人备受鼓舞，帮了海军备战的大忙。

海军上将霍尔岑多夫（Holtzendorff）指出，德国海军每月能够击沉60万吨位的货运，这样，就能够使英国的货运减少一半。在贸易区就会因食物短缺引发暴乱并带来非常严重的灾难。贝特曼·霍尔维格首相不得不从更广阔的领域用更加充满怀疑的态度来对待“无限制潜艇战”。他自始至终就知道，如果德国宣布“无限制潜艇战”，那么几乎可以确定的是美国必然会参战。他的顾问黑尔费里希（Helfferich）能够读懂海军提交的那些数据，并认为这些完全是胡编乱造的。奥匈帝国的新皇帝卡尔极度渴望和平，反对德国海军的计划。德国政坛的左派和中立党对此也不热情。但面对军方的压力和民众的指责——因为英国封锁，德国国内已经出现了鼠肉香肠——民众开始没完没了地吃大头菜。贝特曼·霍尔维格在阻止无限制潜艇战上没能取得任何进展。他一根接一根地抽着烟，力图找到避开这个难题的策略。1916年12月，同盟国中有4个国家[1]宣布它们将致力于通过谈判实现和平，并

① 指德国、奥匈帝国、土耳其和保加利亚4国。——译者注

寻求威尔逊总统的帮助。实际上，威尔逊总统确实允许德国人拥有一条与德国驻华盛顿大使馆进行联络的、看似安全的电话线（实际上一直被英国情报机构监听），他随后还咨询了有关和平条款的内容。

协约国方面对于和谈倒是没有太大的困难。它们宣称：必须恢复比利时的独立地位，各民族应有自决权。和谈条款中的大部分内容都是骗人的鬼话，协约国成员国相互间谈论的都是帝国庞大的疆域，完全没有考虑过“民族自决”问题。德国人对他们的和平条款讳莫如深，甚至在威尔逊总统私下里询问他们心里到底怎么想的时候，他们也不肯多说。贝特曼·霍尔维格不可能说他想恢复比利时的独立，因为他压根没打算支持比利时独立。德国在为一个属于德国的欧洲而战。事实上，一年后在布列斯特-立托夫斯克实现部分《中欧计划》后，有着讲法语的统治集团和政治上亲英的比利时不在其列。但是，德国的工业家们觊觎着比利时庞大的煤铁矿藏，军方至少出于未来每一场战争的目的想要占领列日等要塞。在布鲁塞尔的德军总督府也偷偷地赞助佛莱芒分离主义者，允许根特大学使用佛莱芒语，而在比利时那些有教养的人眼中，这种语言被视为是庄稼汉们使用的土话，是一种被弄得乱七八糟的荷兰语。贝特曼·霍尔维格陷入了进退两难的困境中。协约国声称它们在为真、善、美而战，如果霍尔维格也这样指明德国的作战目的，他会被当时已是德国真正主宰者的鲁登道夫撵出政坛——德国军方和工业家们正在为瞬间吞并比利时的煤田和法国的铁矿激动不已，同时他们也为接下来在靠近东普鲁士的波兰土地进行种族清洗而热情高涨。在有关战争目的的声明上，这种状况没有给贝特曼·霍尔维格留有任何选择的余地，他只能沉默或撒谎。英法两国的外交官们也同样进退失据，庞大的帝国计划正在秘密地策划之中。但他们一直坚持恢复比利时独立这个表面上无懈可击的观点，而柏林方面根本不会说它正好也想复兴这个国家。德国的外交家们过于笨拙，无法应对这种局势，结果，他们的和平倡议没有取得任何成效。贝特曼·霍尔维格没有更多的理由来反对那些海军上将。

1917年2月1日，德国宣布在法国西部和不列颠群岛附近海域实行“无限制潜艇战”战略。从击沉船只的吨位来看，似乎立刻就证明了霍尔岑多夫海军上将的正确。在1月，由于遵守“巡洋舰规则”，德国海军击沉了36.8万吨货物，其中属于英国的有15.4万吨。而在2月，德国海军则击沉了54万吨，3月已接近60万吨（其中有41.8万吨属于英国），4月更是达到了88.1万吨（其中有54.5万吨属于英国）。沉船事件一般发生在船只集中在一起抵达港口之前。中立国的船只开始撤离这个区域，大量船只躲进船坞，与此同时，很多美国公民因遭到袭击而被淹死。不过，霍尔岑多夫算计的结果却是错误的，不仅仅是错误的，而且大大背离了德国的战争目标，成为德国战败的最大推手。英国人挺了过来，美国人参战了！

此外，人们也找到了防御U型潜艇的办法。在苏格兰福斯湾，新西兰伟大的物理学家欧内斯特·卢瑟福做了一项实验，他把自己倒挂在水面上的划艇上，看看能否听到水中有什么声音。后来，就有人发明了能够测出水下噪声的水下测音器，随后又发明了深水炸弹。安装这些东西的驱逐舰就能够反击潜艇，尽管这会造成双方的关系极度紧张。一些勇敢的人士还向英国海军部建议如果把商船编成船队（20艘商船为一队），那么，驱逐舰就能够保护好它们。但这样的建议却遇到了荒唐的抵制，海军中的一部分权势人物显然不想为地位远低于他们的商船船长的行为担责。改变这一切的是 4 月份的“黑色十四天”，当时有数百艘商船被击沉，护航随之成为了惯例。在此之后，沉船事件有所减少，大体恢复到了遵守“巡洋舰规则”时所击沉的数目。5 月 10 日，第一批得到护航的商船队出航，商人们服从命令，驱逐舰护卫着他们安全地横跨大西洋。在接受护航的 5 090 位商人中只有 63 人不幸丧生。U 型潜艇把 2/3 的时间花费在了被护航商船往返港口的线路上，但并没有取得比以前更好的战果。无论如何，这些潜艇像着了魔似的使得德国最糟糕的噩梦变成了现实。美国的参战，这首先，意味着英国在战争时期的财政得到了拯救。其次，则意味着协约国的封锁开始发挥作用。

即便是在“无限制潜艇战”开始之后，美国人参战一事也有可能不会成真。美国的公众舆论不支持参战，但在“无限制潜艇战”爆发之后发生的一个事件迫使美国不得不参战。和韦伯的就职演讲、施里芬计划和提尔皮茨舰队一样，这个事件也属于德国自我毁灭的内容。德国政府认为，虽然美国没有陆军，但却有一支很大规模的海军，因此需要采取某种方法阻止美国参战。柏林方面意识到美国和墨西哥之间存在难以解决的纷争。如果德国承认墨西哥人有权撤销阿拉莫战役[①]导致的法定结果，也许就可以怂恿墨西哥人进攻美国。难道亚利桑那不就是墨西哥的阿尔萨斯-洛林吗？德国新任外交部部长阿瑟·齐默尔曼草拟了一份电报，大意是说墨西哥人可能会对与德国结盟有兴趣，如若这样，墨西哥人也可以询问日本天皇是否愿意加入同盟国集团。

齐默尔曼把这份电报发给德国驻墨西哥大使，而且他是通过威尔逊总统——作为善意的象征——允许德国人使用的一条私密通信线路发送的。英国海军情报人员事实上已经在窃听这条美国通信线路，并能够破解德国人的密码（英国人从一支十分骁勇的远征伊朗的德国军队那里缴获了一个密码本）。在处理齐默尔曼电报问题上，英国海军上将霍尔将军展现出了超乎常人的足智多谋，他复制了这份电报，并以一条

---

① 阿拉莫是今美国得克萨斯州圣安东尼奥附近的一个要塞。1836 年 3 月 2 日，当时还属于墨西哥的得克萨斯地区因蓄奴问题宣布脱离墨西哥，建立得克萨斯共和国，由美国的前田纳西州州长山姆·休斯敦担任总统。墨西哥方面派兵平乱，休斯敦命令他手下成分复杂的 200 多名军人先据守阿拉莫要塞，经过 13 天的激战，守城军人被墨西哥军队全部剿灭。3 个星期后，休斯敦率军发起反击，并取得决定性胜利，确保了得克萨斯最终并入美国。这在美国历史上被称为阿拉莫战役。——译者注

英国人已经窃听的德国通信线路重新发送一遍。这样英国人就能假装从“正式”的窃听线路上获取该情报。在3月底，美国驻英国大使看到了齐默尔曼电报，到此时，美国人宣布与柏林断交（尽管它没有与同盟国其他成员国断交，尤其是他们从未与保加利亚断交）。4月6日，这份电报传到了美国国会，掀起了愤怒的爱国主义狂潮，威尔逊总统宣布对德国宣战。阿瑟·齐默尔曼的电报以闹剧方式呈现了德国战败的原因。

美国的介入拯救了协约国。美国海军提供了极大的帮助，最终扩大了对德国的封锁范围，但特别需要指出的是，美国人的资金确实变得十分重要。到1916年年底，英国的信贷几近枯竭，英币的价值完全依靠美国人愿意以接近五美元兑一英镑的汇率实现。英国人一直在资助俄国，债务最终积累到了800万金镑，按现在的价值计算，应该要翻40倍（英国和苏联在1985年时解决了这笔债务问题）。要是美国政府为英俄法等国提供资金保障，它们才能继续使用借贷。现在，美国政府这样做了。原材料也大量地流向了协约国。但是，要建立一支美国军队并把它运送到法国则是另一码事，这花费了数月时间。到1918年，每月有20万美国军人到达欧洲战场。可是在1917年，美军的教官们不得不对美军士兵进行培训，可他们自己也只知道战靴和马鞍。从这种意义上说，霍尔岑多夫海军上将是正确的，美军参战在形式上无关紧要。如果同盟国能够在1917年赢得战争的话，那么美军的参战将改变不了任何东西。

英军和法军在尽最大可能使霍尔岑多夫的预测成为可能。罗贝尔·尼维勒将军几乎毁了法军，陆军元帅道格拉斯·黑格爵士也做了大量毁灭英军的事情——据说是这位出生于苏格兰的将军，虽然作战最有成效，但却导致参战的大部分英军阵亡。尼维勒将军不是傻瓜，他意识到如果能够正确地使用大炮，这还是一场能够发展成为机动战的战争。现在，英法联军方面拥有数千门大炮和数百万发炮弹，也有了几种新式武器。在1914年时，飞机还很容易遭到破坏，只能在天气良好的情况下用来探明人群的位置并命中目标。现在，飞行员能够射击敌人而不会打到自身的螺旋桨。与此同时，单翼机已取代老式缓慢的双翼机，空中拍摄的照片也更加精确。此外，英军已发明出坦克，火炮手之间的通信联络方式也有所改进（德军的电话线埋在6英尺深的地下），“徐进弹幕射击”正在成为进攻的标准方式——尼维勒认为它将会带来战争的胜利。直接控制步兵前方60码区域的弹幕，能够打哑敌人的炮火，直到攻击者进入到手榴弹投掷范围之内。而手榴弹的技术和威力也有所提高。步兵战术倒是需要改进——不再是波浪式的，不再是1914年时大群大群的步兵推进，而是改为小分队的方式，士兵们从一个弹坑到另一个弹坑，沿斜线急速移动。一个分队向敌人射击，掩护另一个分队快速前移。

尼维勒将军充分洞察到了所有这一切的变化，并认为从他在凡尔登战役取得的胜利来看，他已经找到了一种获胜的方案。他称之为“滑轮组合”，意思是指挥有方的各兵种的协同互助。从政治上和就他本人来说，尼维勒将军也是一位合适的指挥官。他是一位新教徒，而新教徒们（通常都是工程师和医生）是法兰西第三共和国的栋梁，为这个国家提供着道德典范、教育和精神动力，包括建造了埃菲尔铁塔。尼维勒将军的母亲是英国人，因此，他能够吸引住那些出席伦敦午餐会的人们（有人曾指出，午餐会上有女士在场，这可不吉祥），并能够解释清楚他的作战方法。消息传到了大事临头的德国人那里，他们必须更加节约利用兵力，缩短防线。现存的西部战线反映了1914年时的事态，但并非发展的必然结果。

西线现状是因为西线具有一些独特之处——早在1914年，双方完全是出于威信和影响力的缘故挖掘战壕，各自的军队都据守着极为脆弱和花费巨大的阵地，造成了防线的僵持。英军守卫的伊普尔和法军守卫的凡尔登都是三面被围，守军遭受着纵射的威胁。与此同时，德军整个阵地非常漫长，毫无必要，但恰恰又必须为它配置兵力——如果能缩短防线，这些部队本可以被用到其他更有效的行动中去。从索姆河战场到巴黎东北部山脊上的贵妇小径，德军的防线布置在一个巨大的突出部上，处在英军的防御区域之中，没有任何战略价值，毫无用处。如果英军从巴黎东北部，或从阿拉斯到巴黎西北部发起攻击，就能够压缩甚至夺取这个突出部的边缘地带。因此，对德军来说，合乎实际的目标就是缩短防线，把军队用在更有希望的事情上。从2月9日到3月18日，德军实施了阿尔贝里希行动，也就是战略性撤退。这次行动的名字取自瓦格纳笔下那个卑鄙龌龊的小矮人阿尔贝里希，因为后撤中的德军在村舍中设置陷阱，在井里投毒，并把树木砍死。协约国的军队挺进这片遭到损毁的土地，却没有任何办法来恢复它的原貌。德军的撤退也破坏了尼维勒将军最初的计划，因为这份计划是以细心计算德军大炮位置为基础的。现在，他不得不进行全面而必要的准备工作。由于尼维勒将军是新任的指挥官，他的声望在于维持军队的良好状态，放弃这一点就将招致毁灭性的痛击，因此，他把其声望寄托在前线，但噩梦却随之而来。为了保持前线军队高昂的士气，尼维勒将军决定把他的作战计划直接告诉官兵们。而在一次突袭战壕的行动中，德军抓获了一位法军军士并从他那里得到了尼维勒将军作战计划的副本。

尼维勒将军认为，英军在阿拉斯发起进攻，将会首先削弱德军预备队的力量。4 月 9 日，加拿大军人攻占了维米岭，而英军则从他们躲藏的勃艮第城古老地下室中突然现身，德国守军惊慌失措，他们的大部分兵力任凭英军精心设计的前线阵地上的炮击摧毁。这一天，英军和加拿大军人取得了巨大胜利。随后，黑格将军又按照他的习惯，坚持连续炮击，但却没能取得任何新的进展。甚至在整整 6 周的时间里，他坚持骑兵聚集待命并期望着某个阳光明媚的清晨发起冲击，一点也不考虑骑兵会堵塞道路。与此同时，德军已乘火车赶到前线。阿拉斯战役标志着一种新型战争正在出现，炮手们现在能够处理大量巨型炮弹，并知道如何使用它们。不过，英法联军在后方的组织上却出现了大问题，尼维勒将军和黑格将军的关系开始变糟。这位法国指挥官用轻蔑的言语暗示英军要求了过多的铁路运输网，并在浪费资源。在这一点上，尼维勒将军可能是对的，但在关键时刻寻衅吵架并非明智之举。劳合·乔治不信任黑格将军，他利用这个事件要求黑格将军服从尼维勒将军的命令，可当尼维勒将军自己的种种行动造成灾难性后果之时，劳合·乔治自身也名声扫地。

英法联军确实在按尼维勒将军的计划采取行动。4月16日，他们对贵妇小径发起进攻，这也意味着要把塞内加尔军人[1]赶进雨雪交加的苦境之中。而德军充分预料到英法联军会实施炮击，因此早已远离危险地带。尼维勒将军承诺，作为他作战方案的一部分，如果他无法在战斗的前两天取得胜利，他将停止进攻。但除了在兰斯东部地区之外，法军在其他地

① 第一次世界大战期间，英法等国在它们的非洲殖民地征募大量黑人参战，其中的塞内加尔军人由法国招募到西线作战。——译者注

方都遭到了失败，但尼维勒将军却坚持进攻，效果也就可想而知。到此时，一些与重要人物有关系的下级军官想方设法把前线的事态告诉了国民议会议员，可政客们无论如何还是十分认可尼维勒将军，因为他能够处理好与英国的关系。随后，20 世纪的法国几次都面临着一个现实问题——军队兵变。士兵们拒绝再次赴死，而将军们却要求他们勇敢面对。1917 年的法军兵变（像稍后的意军崩溃一样）成为了工人阶级和农民阶级起义反抗的明证。问题并非如此简单！居伊 · 贝特隆希尼（Guy Pedroncini）是一位十分细心的法国历史学家，他认为大约有 4 万名军人卷入了这次兵变。不过当时的情况是，前线的兵变参与者在与明理又讲求实际的军官们交谈后，都又重新表态要遵守军纪。尼维勒将军本人很快就被解职，法军新的总司令菲利普 · 贝当将军对于如何才能恢复军队士气有一定的见识——只有 49 人被处以死刑，并以更人道的方式处理了逃兵和临时换职等问题。参与兵变的士兵们想让德国人来占领法国吗？ 当然不是！如果他们开小差，他们的女人会要求他们返回前线。无论如何，法军恢复了秩序，将军们也吸取了足够的教训。贝当充分意识到他必须坚持小规模的、有效组织的行动战略。这些军事行动也确实取得了很好的战果，比如，在10月，法军夺回了贵妇小径上的“拉富突出部（Laffaux salient）”。法国将血战到底，因为年高德劭但十分激进的民族主义者克里孟梭[1]在这个时候出任了法国总理。

就在尼维勒将军遭遇兵变的这个春天，另一场大规模的兵变也开始上演——这一次是俄军在分崩离析。德国人在1914年时就曾预测，他们在当时而非几年之后就能够打败俄国，从德国自身的角度来说，这是非常精准的估计。就俄国的情况来看，到1916年，它的战争物资生产至少是充足的，它所缺少的是更先进国家在运输、定量配给、财政和国家统一等方面所表现出来的组织化水平。俄国的大城市里充斥着难民，外出找工作的农民挤满了火车车厢。与此同时，用于运输军队的火车则少之又少。此外，俄国首都每天只能得到50辆卡车的粮食，而在战前，它还能得到90辆卡车的货物。

再者，普遍的贫困也许可以忍受，但如果一些人拥有燃

① 乔治·克列孟梭（1841~1929），法国政治家、第三共和国总理，法国近代史上少数几个最负盛名的政治家之一，他的政治生涯延续了半个多世纪，与法国多次重大政治事件紧密相连。1917年10月出任法国总理，为第一次世界大战协约国的胜利和凡尔赛和约的签订做出重要贡献，被当时欧洲人誉为“胜利之父”。——译者注

料和食物，而另一些人一无所有，情况就会有所不同。人们怀疑德国人隐藏在俄国各个角落，包括沙皇那光彩照人的皇后也是德国人。彼得格勒[1]的那些大发战争财的“资本家们”一般都有个外国名字。这样的局势是如何要了俄国沙皇的命的呢？不可避免的偶然事件再次发生了！3月8日（俄历2月23日）是国际妇女节，首都工人阶级的妻子们举行示威，抗议面包价格的不断上涨。她们不得不早起，冒着彻骨的寒冷，通常却是白白等待，最后发现面包房没有燃料烘烤面包，或者是期待涨价的“投机商”把面粉囤积了起来。3月里的第一周天气非常寒冷，可随后却突然变暖，这种情况使得妇女们有条件进行示威抗议。

那个时代的俄国和往常一样，沙皇的国家机器完全无法满足统治需要——甚至连张贴宣布军事管制海报的胶水都没有。正如乔治·奥威尔对18世纪的英国所做的评价，让一个人继续营业和应召入伍之间没有中间手段。先是警察试图

① 出于反德的需要，俄国的首都由原来的圣彼得堡被改名为彼得格勒，其差别在于“堡”为“城市”一词的德语用法，“格勒”是斯拉夫语“城市”的意思。——译者注

控制事态，这造成了少数人的死亡；政府随后就命令军队采取行动。但在1917年时，俄军由非志愿军组成，他们住在首都行政区中心地带的庞大兵营中，心怀不满，偷偷喝酒，并试图接近那些工人阶级出身的妇女们。在一个较为先进的国家里，都会在某处类似索尔兹伯里平原的地方为这类士兵安排住房，但破败的俄国无法提供这样的基础设施。被要求向民众射击的军队在俄历2月27日（公历3月12日）发生哗变，沙皇政府当即垮台。大街上到处都是士兵，他们乘坐卡车，挥舞着红旗，四处横冲直撞。

第二天，独特的俄国革命诞生了“苏维埃”，这个俄语单词的意思是“委员会”。2月28日，各个工厂和士兵群体选举产生了光荣的罢工委员会，但社会革命党中那些痴迷于自己意见的知识分子很快就控制了这个委员会。俄国议会，也就是国家杜马中的一些政客也加入其中，这些人认为他们必须接管政权。到这个时候，许多将军也开始支持罢工委员会。当时，最主要的事情就是摆脱掉沙皇尼古拉二世。每一个人，包括位于莫尔斯卡亚大街——彼得格勒最繁华的大街——帝国游艇俱乐部的成员都认为沙皇已是累赘，将军们也要求沙皇逊位。俄历3月2日（公历3月15日），沙皇被迫引退，国家杜马的政客们随即建立“临时政府”，终于宣布俄罗斯为一个民主共和国。但政客们却不愿进行真正的选举。苏维埃是继任政府，握有权力，但对于3 000人聚集在塔夫里达宫（Tauride Palace）[①]，其中2/3又是士兵的情况，却不知道该如何应对。苏维埃只是决定成立一个由社会革命党中的知识分子组成的执行委员会，可这些人根本不会进行组织筹划。当时，俄国革命的另一个特点是，政府没有可以依靠的中间力量，基本上不具备阻止革命发展的手段，而后来广大民众直接参与的革命，由于政府都能立刻从工会那里得到支持而失败了。工会可能会和老板发生争吵，但他们不想破坏秩序，甚至在濒临无政府状态的情况下他们也会尽力发挥作用维持秩序。可是在俄国，除了印刷工人和铁路工人有工会之外，不存在其他工会组织。而且，社会革命党中的知识分子错误地确信，工农兵与政府的“对抗”将会变得没有危害。于是，他们筹划停止行军礼，废除军队中死刑，并规定军队中的每个人都应加入苏维埃，选举军官并监督他们的行动。

① 塔夫里达宫，指当时俄国国家杜马所在地。——译者注

第五章　1917

但是，导致革命的因素并没有消失，与之相反，事态变得越发糟糕。在任何一场真正的革命中（有些所谓的革命是虚假的），都存在着一大引擎，即通货膨胀。1917年俄国的公共财政已经崩溃。在1914年，俄国政府实行严格的财政政策，甚至沙皇自己都用口水贴邮票以节约资金。战争变得异常昂贵，政府则不知所措。俄国政府规定不许喝烈性酒，而国家税收的1/3来自对伏特加的垄断，这样一来，政府就毁掉了早前的利益来源。由于没有了所得税这一工具，也不能像其他国家那样从庞大的中产阶级那里获取战争贷款，俄国政府只能越来越快速地发行纸币，发行量太大，连印刷机都坏掉了。顾客要是去银行把支票兑换成现金的话，银行会给他一大沓指南，让你自己往钱上印数字。这样，纸币上的零在增加，商品价格标签上的零也是如此。在流通链条的每个环节，食品储备变得不可预测：从作为生产者却得到毫无用处纸币的农民，到在保险库里储存食用糖的银行——因为糖至少还有存储价值。这个问题接下来又影响到交通运输，因为开往这个国家产粮大省的火车，半空而回，而在其他地区因缺少运输工具，粮食又都烂掉了。在1917年夏天，一系列错综复杂的问题急剧地纠结在一起。所有措施都已失灵，临时政府和苏维埃做出各种表态，流言满天飞。俄历4月9日（公历4月22日），继任者列宁开始介入到事态之中。他和他的追随者“布尔什维克”，这是因为在几年前，处于流放中的列宁为了接管社会民主党（Social Democrat）的机关报，在一次备受争议的会议上秘密地成立了一个多数派。而“多数派”的俄语单词就是“bolshinstvo”。对于1917年俄国发生的事件，列宁想到了一个简单的解决方案，而其他人却什么想法都没有。列宁指出，要给人民面包，给农民土地，给世界各民族和平。如果俄国人启动退出战争的进程，那么其他国家的人民也会跟随，尤其是德国人——列宁在德国生活了许多年。若如此，其他的所有事情都会迎刃而解。这种想法符合德国政府的利益。列宁最后得以乘火车从瑞士返回俄国。[1]

列宁拥有非凡的、刚强的性格，但他的超凡魅力并没有体现在他的作品之中，因为就算考虑到不同文明之间在修辞上存在差别，他的作品也是枯燥乏味的。因此，我们很难理解他慷慨激昂的演说是如何迷住俄国人的，但他们似乎确实痴迷于他的魅力。毫无疑问，在1917年4月，布尔什维克这个小群体中有相当多的人在一开始反对列宁的主张，因为即便是从监狱中归来的布尔什维克，也都支持进行战争，但列宁最终占据了上风。他发表富有感染力的演说，事态也确实在按他的意愿发展。如他所说，旧制度会犯许多错误，而旧制度的确犯了许多错误——政府的财政状况一团糟，领取食品的队伍失去控制，将军们绝望地感到俄军比德军素质低劣，士兵们呆坐着无所事事，空腹喝着劣质饮料，银行家和外交官们成了英法帝国主义者的奴仆。

俄国革命就是一场大规模的兵变。尽管在1917年夏天，俄军还驻守在前线，但它完全无法发起攻击性行动，也几乎不能进行防御。简言之，在1917年8月，临时政府试图镇压布尔什维克，但即便是当时，这种镇压也非常混乱。稍微乔装打扮的列宁，在芬兰等待着混乱的结束。当各方在莫斯科大剧院召开讨论俄罗斯未来的“国家会议”之时，附近许多餐馆实际上都在进行罢工。随着秋天脚步的深入，苏维埃成了剩下的唯一一个有组织的机构。到此时，布尔什维克已经控制了苏维埃。公历11月7日，它的部队废止了临时政府。在实际“夺取政权”过程中的死亡人数，甚至要少于在拍摄纪念十月革命 10 周年的电影时挤踏而死的人数。

协约国方面会对发生在俄国的动荡作何反应呢？美国人完全没有准备，法国人还在舔舐他们自己的伤口。意军在 8 月发起了第十一次伊松佐河战役，在的里雅斯特北面的贝恩西查台地（Bainsizza plateau）向前推进了 5 英里，但造成了两倍于奥军的伤亡，于是意军停止了进攻。只有英军还有力量采取大规模的行动。在 1917 年夏天，他们确实在佛兰德斯地区取得了进展。英军的行动与俄国局势有关，也与美国人有关，因为英国人总的目标是在美国总统威尔逊把欧洲的战局搅乱之前，赢得战争并推行一种英国式的和平。劳合·乔治出任首相后命令避免军事冒险，但在实际过程中又听任其发生。“帕斯尚尔（Passchendaele）”已载入历史，这是一个小村庄的名字，坐落在当地具有一定战术价值的一条山脊上。在 3 个月的战斗、造成 40 万人员伤亡之后，英军占领了这个村庄。这或许是英军战略行动的最小目标[①]。

黑格将军确实一直渴望英法联军能够在佛兰德斯地区取

① 作者在这里所概述的是“一战”中的帕斯尚尔战役，也就是作者在下文细述的第三次伊普尔战役。——译者注

得进展，这种想法本身也合情合理。伊普尔突出部不易防守，由于德军占领着梅西讷岭（Messines ridge），能够从他们那一侧向伊普尔开火，造成英军每周有 7 000 人伤亡，这还是“正常损耗”。伊普尔离荷兰边境并不远，换言之，如果能够占领比利时沿海地带，就能够解决掉泽布鲁日的德军潜艇基地。英军的计划本身不是无的放矢，而且现在，他们在利用炮击松动敌军防御方面，已有了大量的经验，此外，他们还拥有数百万发炮弹。但英军要发动攻势的整个地区，被称作低地国家，这有非常充足的理由——因为这个地区形成于海上，地下水位接近地表。如果炮弹击穿地表在地下水中爆炸，就会出现泥浆。如果遇到持续的降雨，当地就会成为一片沼泽。

和往常一样，最初的成功往往会把将军们诱进灾难之中。在一场史诗般的持续奋战中，英军坑道工兵在梅西讷岭下面不断地进行挖掘，在坑道中埋下 21 个用来爆破的巨大地雷，塞满了 100 万吨炸药。军官们按照梅西讷岭的比例模型对步兵进行细心训练，而现场的第二集团军的指挥官普卢默是一位小心谨慎、足智多谋的将军，他关注细节，没有浮夸的野心。6 月 7 日，英军引爆地雷中的炸药，爆炸声震耳欲聋，伦敦都能听到。与此同时，英军大规模的连续炮击让德军的排炮黯然失色。德军随之瓦解并开始撤离，这样就把能够进行射击的高地让给了英军，英军到伊普尔的攻击路线更加安全了。但和往常一样，在取得最初的胜利之后，英军的进攻却渐渐停了下来，黑格将军又一次丢弃了已取得的优势。

当时，在英军发起下一轮进攻之前，出现了非常奇怪的间隔——一直持续到7月31日英军都没有发起进攻。在此期间，德军加强了防御：他们采用的方式令人畏惧和惊叹，十分复杂，这种方式在后来成为德军强化防御的惯用手段——在五六公里的范围内，密集地挖掘战壕，并用混凝土建造配有重机枪的“弹药盒”（英国人对这类防御建筑的称呼），这样就能够把各个火力点连接成一个对进攻者造成致命（和出其意料）的火力网。当然，这些防御方法需要一定的巧计。如果防守的前线过于脆弱，防御者可能会变得士气低落，他们会以为他们是人肉盾牌；如果防守的前线极为坚固，防御者会被密集的火力消灭掉——一般是复杂的轰炸（俄国人估算过，击穿一个金属障碍物，需要25 000发炮弹）。

在梅西讷岭战役和所谓的英军攻势，也就是“第三次伊普尔战役”之间，有7周的间歇，这意味着德军防御专家冯·洛斯伯格（von Lossberg）上校能够尽其所能地打造6个不同的防御阵地。最前面的阵地有3道防线：由充当壁垒的矮墙，而不是复杂的战壕组成，每道防线之间相距200码，配有几个步兵连。第一个阵地向后2 000码是第二个阵地，这里的混凝土“弹药盒”为支援部队提供掩蔽。而在两个阵地之间，则建有更多的“弹药盒”，并都配有重机枪。这些属于“前方战斗地带”。第二个阵地后面一英里是为预备队提供掩蔽的另一套系统。它后面一英里就是第三个阵地，洛斯伯格预料具有决定意义的事件会在此发生，因此，这里是“更重要的战斗地带”。

“第三次伊普尔战役”要比列宁曾写过的任何东西都更令英国的教育阶层感到不满。当时的降雨远多于平常。虽然从这个角度来说，黑格将军是运气不佳，但气象专家可能已经告诉他那些地区一定会下雨。最初的炮击开始于7月中旬，并持续了两周。这自然告诉了德军将会发生什么，因此，德军没有丝毫的惊慌失措！发动进攻的9个师，面对着防御的5个师。天气非常糟糕，不可能进行空中侦察。“声波测距”，这种根据敌人火力的声波来探测敌人炮台位置的精妙方法，也无法发挥作用。“空前残忍的”炮击，并不十分精准——英军发射了430万发炮弹，但放在帕斯尚尔山脊后面的德军大炮，毫发未伤。面对攻击者从左路和中路的进攻，德军的64个据点仍然都完好无损。7月31日凌晨3:50分英军发起进攻，低垂的云雾预示着暴雨来临，遮蔽了正在升起的太阳。由于炮击摧毁了德军前面的几个阵地，英军步兵往前推进了一些，但并没有占领梅西讷岭和格鲁沃尔德高地（Gheluvelt plateau），中部和右侧区域才是英军必须占领的地方，那样德军炮兵才能不再持续拥有高地优势。由于天气的原因，“徐进弹幕射击”在许多地方丧失了效力，甚至都不能确定前线的位置。即便如此，第三次伊普尔战的头一天，也并非不成功，并不像索姆河战役的第一天那样惨烈。由于在伊普尔突出部，要保全士兵生命已变得非常困难，因此，如果战役的目标仅仅是占领伊普尔突出部周围的山脊，那么军事行动就具有一定的合理性。但是，黑格将军野心勃勃，渴望实现战局的突破，而且他像往常一样，让无法发挥作用的骑兵堵塞了军需补给路线。第五集团军的指挥官高夫将军也相信英军将豪迈地跃进。可实际上，这次战役转变成了英军在沼泽中艰难地行军。

在第三次伊普尔战役中，发生了第一次世界大战或其他任何战争中都最为反常的一件事。在战役的第一天，天降大雨，随后连下了7天。在整个8月，只有3天没有下雨。暴雨连连，降雨量竟然是这个月平均水平的两倍。重炮射击让情况变得更糟，因为战场和通往战场的道路都被炸成了泥潭。如果伤员从运送他们到后方的车上掉下来，就会淹死。一位战地救护车上的中士写道："每个担架都需要6个人，其中的两个人忙忙碌碌，要不断地帮助其他人避开泥坑。在有些情况下，泥浆都没过了我们的腰。在有些线路………最强壮的人也要随时准备倒下。"而为了躲避德军的射击，即使把一樽最轻的大炮挪动250码，由于泥浆太深，也需要6个半小时。为了安全而匍匐进入弹坑中的伤员发现，下雨使得坑中积水不断上涨，他们能够预感到死亡的临近，预感每次一点点在上涨的雨水会淹死他们。在这种情况下，高夫将军发起的8月攻势，一次又一次地遭到了可悲的失败。

黑格将军随后命令普卢默将军进行增援。普卢默将军坚决主张要在一定程度上巩固阵地，这曾被高夫将军拒绝。与此同时，普卢默将军还坚持“攻下和守住”原则。他提出只采取非常有限的军事行动，部队应该在设法实现开始设定的目标之后就加固阵地，而不是在超出炮兵的能力和准备之外再尝试进一步向前推进。另外，普卢默将军也非常幸运——天气变晴，地面虽然没有完全干透但也已经开始结实起来。在这一点上，高夫将军可一直好运连连。

在初秋时节，英军进行了3次有限的战斗，其中最著名的是攻占布鲁德塞恩德村。这3次战斗的特点是使用高度密集的徐进弹幕射击，保持弹幕刚好在进攻者的前面，且只打到他们前面1 000码处。与此同时，步兵在小心翼翼地跟进。这样的炮击粉碎了德军的反击，由于英军离他们自己的阵地并不远，所以可以指望得到还算不错的支援。面对英军的这种战术，德军毫无办法。普卢默将军的有限军事行动（像同一时期的贝当将军一样）取得了成功。但英军付出巨大的努力却只能控制3 000码长的距离。按这种速度，永远也不可能赢得战争。

黑格将军又开始做梦了。不知是出于什么原因，他竟然确信德军的士气正在瓦解，他们很快就会成批地投降。于是，他命令普卢默将军继续进攻。正当此时，天又开始下雨。整个10月和11月的上半月，英军全力进攻帕斯尚尔这个微不足道的村庄，他们在泥浆中奋勇作战，最终占领了它——但所取得的进展只是建立了一个脆弱的突出部。而每个人都知道，如果遇到像以往那样猛烈的反击，英军就必须退出这个突出部。

在第三次伊普尔战役行将结束之时，终于有一位高级参谋来战场视察。当走近战场时，他竟潸然泪下，并问他的司机，“是我们把士兵们派到这种地方的吗”？而当黑格将军自己的情报主管警告他德军没有崩溃时，他倒是补充了一种极富个性的解释——这个主管是一个天主教徒，因此，他有可能是从那些不干不净的家伙儿那里得到的信息。不过，黑格将军至少确实对最终胜利抱有信心，就是说，他从未丧失信心。这一年是以预示着“一战”结束的大事件——康布雷战役——而收场。

在西线战场，坦克专家们的才智最终还是得到了承认。他们曾指出，如果在硬实的地面上并在真正炮兵的支援下，大批量集结使用坦克会取得出色的战果。在1917年，空中支援也开始变得重要，因为它能够迫使防御者无法抬头还击，抑或只能向别处瞄准——这是闪电战应用的开始。在1918年，这种战术将帮助作战双方赢得多场战役的胜利。此外，炮手们还有其他以前不能使用但现在可以使用的技术。大炮最重要的打击目标是敌人的大炮。在早些时候，炮手们要从空中或根据他们自己的大炮射程来确定敌军炮位，而用来攻击敌方大炮也必须进行校准。也就是说，要发射测距炮弹，可以确定敌方炮位，这样就不可能对敌方进行突袭。现在，通过空中侦察（这是更为专业的方式，使用严格的拍照技术），敌人的炮位就可以标在网格状的地图上，由此，用以攻击敌军的大炮就可以在理论上进行准备，而无须实际炮击来测量。换言之，在康布雷，英军成功地实现了突袭。11月20日，英军开始进攻，并迅速取得了胜利，部队向前推进相当大的距离，缴获了许多大炮，俘获了大批俘虏。在英国，教堂钟声齐鸣，庆祝胜利！但和往常一样，先头部队前进得过远，超出了补给线的范围，甚至进入毫无防守的空旷地带。而德军指挥官是一位能力超群之人，他依据东线战场上使用过的新方法——尤其是训练能够迅速移动、会用手榴弹和规避敌军据点的“突击队”——组织了一次反击。如果英军有预备队的话，那么他们本可以阻止住德军的反击，但英军根本没有预备队，帕斯尚尔战役中的一幕再次重现。

在10月下旬的同一时段，德军也曾采用新的作战方法，取得了整个“一战”中最聪明的一场胜利，当然，勃鲁西洛夫将军取得的胜利可能要排除在外。德军确实聪明，用智力和决断力弥补了物资缺乏的问题。到1917年夏天，精明的德军炮手已经揣摩出了英军熟悉的作战方法，而且他们更为彻底地应用了这些方法。大炮要能够在射程和方向上有所调整，否则风雨都有可能影响到火力。因此，为了查看每门大炮的变化，炮手们要检测它们火力射程，这样就能够考虑到客观情况的适度变化。炮击的目的主要不是要摧毁防御工事，而是要依靠暴风雨般的炮击和爆炸产生的气体来使敌方的指挥系统失灵，并压制住敌方预备队的调动。9月1日，德军在里加试验了这些新方法，他们动用13个师从里加城逆流而上，对位德维纳河岸上的俄军阵地发起进攻。这完全是一次突袭。敌军的预备队一般会对精疲力竭的攻击者造成致命伤害。但在这次进攻中，因为德军采用“方形弹幕”炮击隔绝了俄军防御区，并利用稳定的火力网阻止了俄军预备队赶来增援，因此，俄军预备队没有发挥作用。

步兵中也出现了新战术。每支集团军都配有经过特殊训练的突击营。营中的士兵都携带轻机枪和喷火器，他们的任务是在采用散兵线战术作战中，能够快速突进。在康布雷的反击中，德军就是使用这些方法取得了胜利。在里加，虽然这些方法是与新型的炮击方式结合在一起加以使用，但还是体现出了它们的价值。现在，德军最高统帅部把熟知这种新战术的指挥官从俄国战线调到了其他地方。

这种情况也发生在意大利。和俄罗斯一样，意大利既有许多古老的东西，也有许多现代的事物，但它的大部分民众仍然生活在一个地方化的、农民的世界中，它的士兵中有 1/3 是文盲。意大利的统治者们推动这个国家参战，制定国家的前进路线，是希望意大利能够学会走路。他们本以为会轻松漫步般地攻到维也纳，而实际上他们几乎没能跨过双方的海关。而且，意军随后的进攻收获微乎其微，但却造成己方两倍于奥军的伤亡。在东北部边界——伊松佐河流域（在今天的斯洛文尼亚境内，被称作索亚河）——进行的 11 次互不相接的战役中，意大利官兵学会了使用大炮，与此同时，奥军变得疲惫不堪，这使意军取得了还算不错的胜利。不过，和黑格将军的所作所为一样，这些胜利的代价巨大——意军方面有150万的人员伤亡，与之相比，奥军的伤亡人数是60万。在第十一次伊松佐河战役中，意军攻占了贝恩西查台地的部分地区，代价是损失17万人，其中有4万人阵亡。

对于这种情形，军队中的当权者往往都会指责士兵。在意大利，军官阶层和士兵之间有着巨大的“鸿沟”，这与俄国的情况有点儿相似。控制意军战略部署的是来自意大利北部的卡多尔纳（Cadorna）[①]（在意大利统一过程中，他的父亲曾把教皇庇护九世捆绑进了梵蒂冈）。他认为他的士兵只有在恐吓威逼之下才会作战。如果士兵不能冲出战壕进行攻击，那么他们自己的大炮就必须向他们射击。“一战”结束之后，在巴黎和伦敦等地，建起了许多无名战士纪念碑，来纪念那些被炸得粉身碎骨，不再能够确认身份的士兵们。在纪念碑

① 路易吉·卡多尔纳(1850~1928)，意大利陆军总司令，陆军元帅。生于意大利帕兰扎。1870年在其父老拉法埃莱·卡多尔纳领导的参谋部任职。1910年在热那亚任第七军团司令，次年晋升中将。1914年后任意军总参谋长、陆军总司令，指挥意军参加第一次世界大战。1923年晋升陆军元帅。——译者注

的揭幕式上，也会随机选取这类士兵的一些遗孀前来参加。意大利人也建过这样的纪念碑，但在第二集团军战斗过的地方，那些被搜寻出来无法确认身份的战士遗骸则被排除在外，因为那里的任何一个战士都有可能是被他自己的将军打死的。有这样一个后来成为法西斯民兵组织首领的军官（后来有人在 1931 年把他从火车上扔到外面，有可能是出于报复而谋杀了他）习惯性地站在前方战壕上，手握左轮手枪，他手下的士兵如有犹豫，他就会毫不犹豫地将他们击毙。卡多尔纳甚至采用古罗马军队的做法，即在一个作战表现糟糕的团中，随便从每 10 名士兵中拉出一人予以射杀。此外，意军一些杀戮的事例甚至空前残酷，比如，一个士兵就因睡过头落在队伍后头而被拉出来执行枪决，而他已经是 7 个孩子的父亲。这起悲剧发生在一支作战非常勇敢但因寡不敌众被迫进入无人区的队伍中。他们曾因绝望而试图投降但没最后得到救助，尽管从其他方面来说他们的战绩值得赞誉，但在当时却被认为要接受惩罚。1917 年 8 月，教皇发起和平倡议，当时人们能够轻易就判断出意大利的全面参战是一个弥天大错，但卡多尔纳却禁止在前线散发意大利的国内新闻报道。

第五章　1917

他很快就遭受了惩罚。贝恩西查台地事件吓坏了德国人——如果奥匈帝国退出战争会怎么样呢？随着东线战争的结束，德军可以腾出一些部队派到其他地方作战，同时，他们还新建了由能力出众的奥托·冯·贝洛将军指挥的第十四集团军。贝洛将军熟知在里加使用的那些作战手段，他的部队里还有两位未来的陆军元帅隆美尔和舍尔纳，他们都才华横溢、备受瞩目，但此时还都是夺占山地的下级军官。在展现了这次世界大战中只有德军和法军才具有的高超运输水平之后（当然，向维也纳的学校运送牛奶的行动不得不暂时中止），德军7个师和奥军装备精良的5个师在伊松佐河上游的多山区域完成了集结。尽管铁路运力有限，尽管山路狭窄崎岖，尽管要运送上千门大炮和每门大炮配置的上千发炮弹，但由于拥有保时捷设计的牵引机器和四轮驱动车辆，还有德军在战争期间利用通道，巧妙地调遣巨大战争工具，同盟国确立了令人恐惧的局部优势。有逃兵警告过意大利军官，可他们根本就没有认真对待。

几天后，有人在乌迪内意军总部房间的地面上发现了对逃兵的审讯记录，但此时，灾难已经发生。意军在伊松佐河前线中间地带的贝恩西查台地，取得了相对意义上的成功，这促使一部分意军局促不安地前进到托勒敏地区。奥军在这里建有桥头堡，而规模庞大的一个军占领的一个阵地却被伊松佐河分为两个部分。非常奇怪的是，这个军的指挥官巴多格里奥将军——他先是支持、后是反对意大利法西斯主义，他在这两方面都发挥了重要作用——显然不清楚是把优势兵力放在发起进攻的东岸，还是放在用于防守的西岸。不管怎样，在德军炮火的追击下，他最后躲到了一个洞穴里，无论哪一边的军队，他都无法指挥了。在巴多格里奥将军的北面，另一支意军集结在伊松佐河岸边一个叫作福利齐（今天的博韦茨）的村庄。意军完全没有料到的是，奥军装备最精良的5个师会从山上对他们发起突袭。在河的下游还有一个叫卡波雷托[2]的小地方，是意大利两支主力部队的接合点。但两支意军都没有做好战争准备。卡多尔纳本人在想他也许应该转而支持防御。但伊松佐河防线意军的主要军事力量，意军第二集团军的指挥官卡佩罗将军却有着其他想法，他在这一个月里不断拖延备战。卡佩罗说过，如果同盟国发起进攻的话，他会进行反击，会指挥他的部队前进。卡多尔纳很害怕这位来自那不勒斯，身材矮小，脾气火暴，没有任何显赫社会背景的共济会会员。他容忍了卡佩罗的抗命，可是当同盟国开始进攻后，意军的大炮最终还是夹杂在后撤的部队中，被疲倦至极的士兵们拖进了防御阵地。

10 月 24 日深夜两点，德军开始炮击。德国专家冯·贝伦特（von Berendt）陆军准将熟知将毒气——能够杀死运送大炮的骡子——和烈性炸药组合在一起的方法。同时，德军拥有空中优势，他们清楚意军大炮的位置，并打击了意军的大部分火力。炮击此起彼伏，大约在 4:30 分，出现了一个小时的间歇，为了让敌军放松警惕呼吸点新鲜空气。随后德军发起了更密集的火力，特别是最后 15 分钟里的“连续炮击”，包括用迫击炮向前方阵地投射炮弹，完全摧毁了意军阵地。清晨 8 点，进攻部队开始出动。在福利齐一侧，奥军从山地发起毒气战，意方守军却根本没有防毒面具，奥军随后穿过谷地前行进入并不远的平原地带。负责指挥意军的那位将军（他只有 4 个师，却要控制 20 英里长复杂的战线）一会儿命令撤退，一会儿又命令反击。其中有位师长想知道到底发生了什么情况，他开车进入卡波雷托村使用一部仍可使用的电话进行询问。他被抓获了。因为同盟国发动进攻的部队中，另有一个分队已突破巴多格里奥将军布置的混乱阵地，并突然转向西北行进，沿着伊松佐河抵达了卡波雷托村。意军的这个师随即被消灭，北面的那个军也被完全摧毁。

在托勒敏，德军创造了一项非凡的军事奇迹。德军山地部队必须占领一些能够居高临下的高地，这意味着他们在炮击之后要攀登 900 米的山路。当时还是上尉的隆美尔，带领 200 人的符腾堡山地部队执行任务，显示出德军还处于最佳状态。他没有想直接进攻伊松佐河西岸，那里有连绵的考劳夫拉特山脊。相反，他派一位下士带领一个 8 人小组去侦察是否有穿过意军防御工事的道路。那里竟然真有这样一条路！他们逮捕了正在躲雨的意军哨兵。远处的铁丝网有一道缺口，隆美尔和他的士兵穿过缺口，又占领了一个掩体，他们悄悄地爬上了山脊。随后，他们沿着山脊行进，出现在意军身后——意军惊慌失措，一批重型大炮被德军缴获，当时意军军官正在吃午饭，士兵正在打牌。隆美尔率军随即沿着山脊南边前进，命令意军投降。这样，隆美尔就逐个控制住了意军 5 个团中大部分的士兵。从实质上说，这与他将在

1942 年夏天上演的好戏是完全一样的。当时，他把坦克状的薄纸板缠粘在大众汽车上（冒充坦克），驱车赶往英军在托布鲁克的大本营，进行炮击直至对方投降。他在那里缴获了大量的汽油，这使得他可以继续驱车前进，他们几乎到了开罗。在卡波雷托战役中，隆美尔所在团的另外一位军官也率军攻占了一块山地，并被授予了最高级别的勋章。隆美尔的指挥官请求也授予隆美尔一枚勋章，但上级说不能在同一时间授予同一部队两枚勋章。隆美尔就又去攻占了一块山地，他打破了德军的这项规定，最终被授予了一枚勋章。

10 月 25 日，意军阵地已经全线崩溃，将军们又开始寻找借口。卡佩罗玩起了生病的把戏，在维罗纳最好的旅馆中，他还充满活力，可随后就病倒在帕多瓦的一家医院里。巴多格里奥赶紧把罪责归于卡佩罗，而后就躲了起来。只有在南面指挥第三集团军的奥斯塔公爵仍保持镇定，并在还算良好的秩序下完成后撤。卡多尔纳将军则在 10 月 27 日草拟了一份最引人注目的电报，并发送给了参加战争的每一位将军。他声称意军第二集团军根本就没战斗，“赤色分子”正在渗入这个国家。意大利政府压下了这份电报，但它已被发往国外。

后来当意大利政府请求英法直接予以援助时，两国把解除卡多尔纳将军的职务作为交换条件，这可是意大利统治集团最不情愿接受的要求，因为和俄国一样，在意大利军队中，那些不中用的家伙反倒是黏合剂，甚至可能影响到官方公布的历史（直到 1967 年，真相才大白于天下）。

由于意军在狭窄的山口周围调动大炮，结果全被德军缴获；至于意军士兵，当他们发现德奥军队在他们后面——那是他们根本就没有料到会出现敌人的地方——沿着山径赶过来时，吓得全然不知所措，成批成批地投降了。此外，由于卡多尔纳在撤退问题上指挥不当，事态被他弄得更加糟糕。塔利亚门托河弗留利平原的边界，距离伊松佐河前线 20 英里左右，平原公路的一侧是高耸的山脉。塔利亚门托河上共有 4 座大桥，其中两座被分配给第三集团军使用，他们还算有序地在河上实行撤退。第二集团军一部分兵力不得不在西北方向艰难后撤，并与一些难民混在一起，他们发现有座大桥已经被敌人占领。在剩下的另一座大桥上，毫无秩序的民众杂乱无章地后撤着，而在河对岸，几个身材矮小却大腹便便的上校会对掉队的任何一个民众开枪射击。欧内斯特 · 海明威在他的代表作《永别了，武器》中，曾描述过这个事件[3]。

在卡波雷托战役中，意军有30万人被俘，30万人掉队——即与部队失去了联系，与此同时，意军一半的大炮被敌军缴获。卡多尔纳试图使意军在塔利亚门托河上稳住阵脚，但由于对方拥有保时捷设计的交通工具，攻击者能够非常迅速地调动他们的大炮，意军被迫后撤到皮亚韦河，河西岸就是蒙特格拉帕（Monte Grappa）的丘陵地带。此时，英法两国的军队终于赶到。而由于这个地区有沼泽的缘故，疟疾也随之发威。与以前的180英里的防线相比，现在的防线只有70英里，已经变得更短了——到现在为止，同盟国军队距离各个铁道卸载点都很遥远，自身运力已不再充足。在意大利，民族抵抗运动终于变得深入人心。深明事理的迪亚斯取代了卡多尔纳，意军最高统帅部命令禁止把士兵当作牲畜一样对待。德奥军队也无法攻破皮亚韦河和格拉帕阵地。11月2日，德奥军队的卡波雷托攻势正式停止，奥托·冯·贝洛将军被派到西线，那里将要开始所有攻势中最猛烈的一次进攻。德国领导层实际上还没有办法击败意大利。但就在这个时候，德国人又获得了一个巨大的优势——俄国崩溃了！

说明：

1　列宁拥有一位非同寻常的中间人——赫尔方德（Helfand），此人曾是一位革命者，代号是帕尔夫斯（Parvus）。赫尔方德从青年土耳其党那里发了大财，掌控并垄断了奥斯曼帝国烟草业（他生活在马尔马拉海一座岛屿的豪宅中，列宁的主要助手托洛茨基在1929年被斯大林流放到此处）。赫尔方德买通了那些想要让俄国出现动乱的德国人，并安排好了列宁和他的追随者乘坐历史上首趟无烟列车取道德国来到斯德哥尔摩（这里的中间人是库尔特·里茨勒），列宁对这种行事方式十分赞同。4月16日，在行驶一周之后，这趟列车抵达彼得格勒的芬兰火车站，列宁受到了礼节性的欢迎。

2　这个战役以它的名字命名，并不完全准确。今天这里有一家非常出色的斯洛文尼亚博物馆。

3　实际上，海明威是在1918年才来到意大利的。

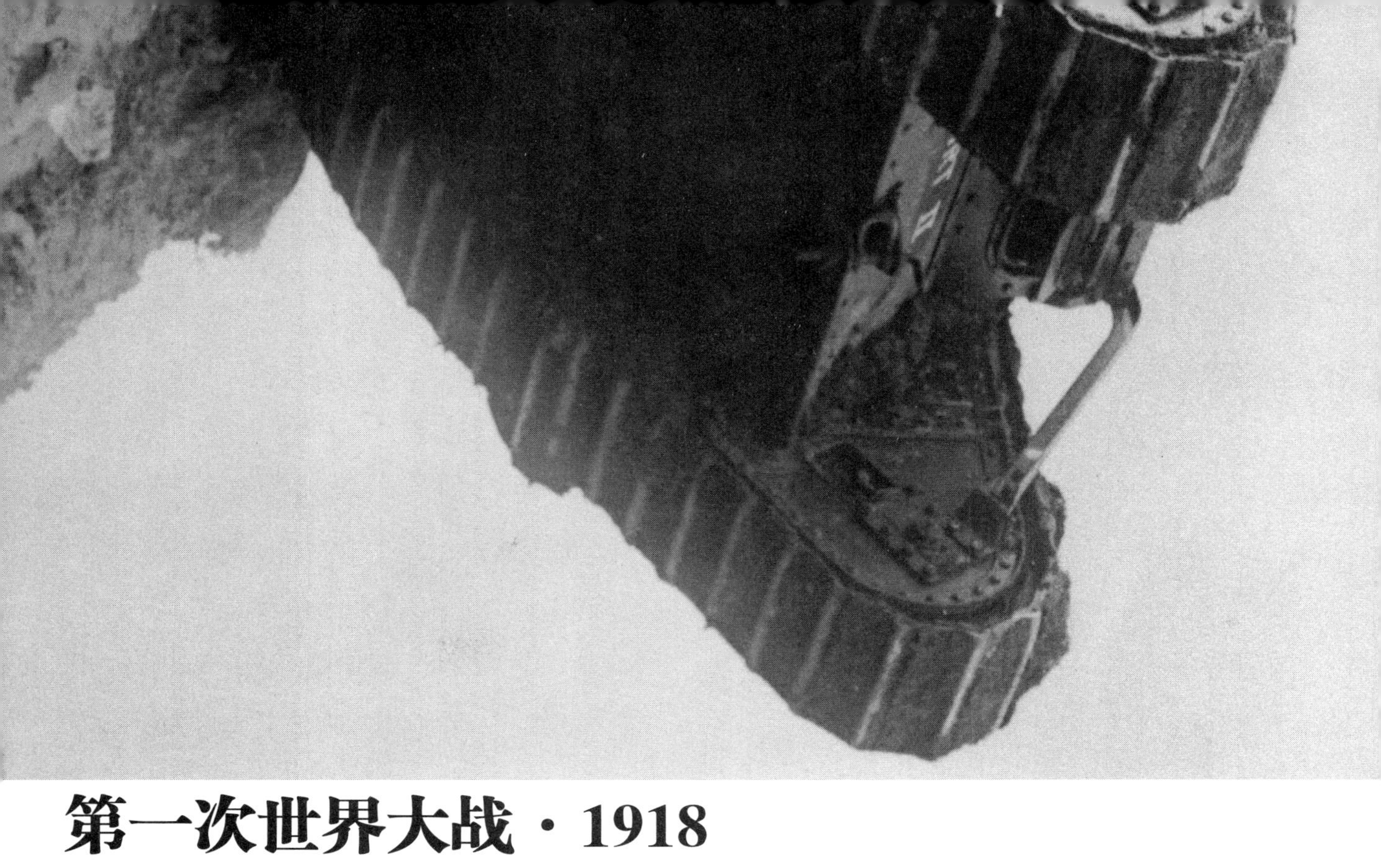

第一次世界大战·1918

英军马克五型坦克

第六章 1918

布列斯特–立托夫斯克是德军在东线的总部所在地，在1915年的撤退中，这座城市遭到损毁，只有很少几个重要建筑还完好无损。就在卡波雷托攻势正式停止的那一天，一个布尔什维克的代表团抵达布列斯特，筹划停战事宜。布尔什维克的代表们原本以为只要他们呼吁和平，普通士兵就会放下武器，战争就会就此结束。托洛茨基宣称他的外交政策是“发表几个公告，而后收兵停战”。他发布了他在档案中找到的一些“秘密条约”，即那些协约国瓜分世界的协定。不过，正如布尔什维克所看到的，虽然交战各方的居民有一些友善交往，随后也有一些对布尔什维克表示支持的罢工，但帝国主义并未瓦解。而俄军却已溃散，首都陷入动荡之中，士兵也已经在返乡，正像列宁所说，士兵们“在用脚投票”。因此，除了商谈停火，寄望他们的宣传能够激起厌战的各民族人民的反战情绪，布尔什维克难有其他作为。它的代表团成员抵达布列斯特时，有点像小丑一样聚集在一起，士气低落到了极点。他们的到来让德国人在战争中努力营造的场景更梦幻。就好似在一场宴会上，一位农民坐在奥地利贵族们中间，他们向他请教如何种植洋葱一样。无论如何，双方确实谋划了休战事宜，讨论了相关和平条款。

那些讨论无止无休，时而涉及哲学，时而牵涉历史，其实双方都在玩弄拖延战术的把戏，以争取时间。德国人期望沙皇俄国境内的非俄罗斯裔民族能够宣布独立，布尔什维克则期望全面的革命。结果，德国人发布最后通牒，宣布与乌克兰单独签订了一个和平条约，并挥师前来保护他们的新卫星国，与此同时，德军还前进到那些俄国士兵已撤离的地方，尤其是巴尔干地区。同盟国预料协约国的封锁会更加严厉，而这些地区的资源至关重要。对于奥地利人尤其是温饱还没解决的维也纳居民来说，这更是生死存亡的关键问题。布尔什维克的成员们会承认芬兰、格鲁吉亚、乌克兰等国的卫星国地位吗？列宁力劝布尔什维克的成员返回俄罗斯的腹地，休养生息，耐心等待，看看接下来会发生什么事。他最终说服了他们，接受了乌克兰和德国的结果。3月3日，布尔什维克签署了《布列斯特和约》，沙俄的许多地区成为德国的庞大领地。冯·埃里希霍恩（von Eichhorn）将军控制乌克兰，冯·洛索（von Lossow）将军则率军漫步在格鲁吉亚，控制了外高加索的石油。此外，德国还有把U型潜艇转运到里海的计划；鲁登道夫谈论过入侵英属印度；奥托–京特·冯·威森东克（Otto-Günther von Wesendonck）[1]甚至认为"修建从德国到中国的陆路通道也不再被轻率地视为幻想了。"可这一切能够持续下去吗？这要取决于西线战事。

现在，德军把40个师由东线调往西线，这为德国提供了优势，至少直到美军大批兵力到来之前，情况都是如此。而美军抵达西线的过程，花费了协约国很多时间，甚至还打乱了至关重要的原材料贸易。当时，德国在战争期间的经济

① 他是激发瓦格纳创作《威森东克之歌》的那位女士的孙子。威森东克女士（1828~1902），德国文学家，瓦格纳的情人。瓦格纳采用她的五首诗作，谱写了以她的名字命名的一套5首独唱声乐。——译者注

情况是它必须在要么完全胜利，要么彻底崩溃间进行抉择。1916年开始实施的兴登堡计划，德国人为之付出了巨大努力，并在机械和工厂等方面投入巨资，工业产量也达到了最高峰。但这一切是以牺牲更长远的目标为代价的——铁路网开始出现破损，农业机械和工业厂房也是一样。如果战争不能迅速结束，德国经济产量就会急剧猛跌。德国面临着一个明确的选择——要么做最后的巨大努力赢得完全的胜利，要么尝试争取和平。大约在这个时候，交战双方达成协议进行了唯一一次真正严肃的行动。当时的德国外长屈尔曼（Kühlmann）向英国政府暗示德国可以放弃比利时，以换取它在东方的自由行动。尼尔 · 弗格森（Niall Ferguson）[①]正确地指出，这个时候协约国的士气正处在整个战争中的最低点。也有人曾公正地评论过，自1850年以来，英国的外交政策实际上只有一个问题——拉拢德国还是俄国？一些感到绝望的保守主义者

① 尼尔 · 弗格森（1964~ ），英国籍苏格兰人，英国最著名的历史学家之一，哈佛大学历史系劳伦斯 · A · 蒂施教授、牛津大学耶稣学院高级研究员、斯坦福大学胡佛研究所高级研究员，罗斯柴尔德家族史研究权威。他是极少数能横跨学术界、金融界和媒体的专家之一。2004年被《时代周刊》评为“影响世界的100人”之一。——译者注

和富有远见的社会主义者可能最终会同意德国的主张，但他们被孤立了——每一项公众舆论都表现出对战争的巨大支持，都要坚定不移、奋战到底。劳合·乔治在稍微犹豫之后，对德国的观点做出了回应。他要成为赢得战争之人，而不是缔造和平之士。他自己曾说过：一个控制了俄罗斯的德国将是难以打败的，它将吞噬掉一切。但是，不管怎样，美国已经参战。而且到此时为止，其他国家为了接管德国的船舰和财产，都纷纷对德宣战。劳合·乔治向他的盟国通报了屈尔曼的方案，并宣布法国对阿尔萨斯–洛林地区的主权要求是英国的战争目标，这令屈尔曼非常愤怒。这个方案没有给他带来任何好处，鲁登道夫很快就被解除了职务，并由凡事遵令行事的海军上将冯·欣策（von Hintze）取而代之。本可能实现的和平就这样陷入了困境，在布列斯特–立托夫斯克，也就不可能有任何一个英国代表了。在战争期间，各方在和平倡议方面花费了许多笔墨，但屈尔曼的方案是德国提出的唯一真正值得认真对待的方案。威尔逊总统也提出了一个严肃的计划，即本质上是关于民族自决的“十四点计划[①]”。在布列斯特–立托夫斯克的德国人本来可能会接受这些计划，并随之可能会在细节上对它们进行修改。但现在，他们反倒要继续前进争取彻底的胜利。

从当时的实际情况来看，德国人非常有希望获得彻底的胜利。近来的几次战役——里加、康布雷和卡波雷托——显示出德军已经找到了一种在战场上恢复机动性的手段。德国将军们的职业天赋都无与伦比，比如这些战役的设计师冯·贝洛、冯·德·马尔维茨和冯·胡蒂尔，都是如此。

---

① 指1918年1月8日伍德罗·威尔逊总统在美国国会发表演讲时提出的关于世界和平的计划。具体内容包括：（1）签订公开和约，杜绝秘密外交；（2）平时和战时海上航行绝对自由；（3）取消一切经济壁垒，建立贸易平等条件；（4）裁减军备到同国内安全相一致的最低点；（5）公正处理殖民地问题，在决定一切有关主权问题时，应兼顾当地居民的利益和殖民政府之正当要求；（6）外国军队撤出俄国，并保证俄国独立决定其政治发展和国家政策，欢迎它在自己选择的制度下进入自由国家行列；（7）德军撤出比利时，并恢复其主权；（8）德军撤出法国，阿尔萨斯和洛林归还法国；（9）根据民族分布情况，调整意大利疆界；（10）允许奥匈帝国境内各民族自治；（11）罗马尼亚、塞尔维亚和门的内哥罗的领土予以恢复；（12）承认奥斯曼帝国内的土耳其部分有稳固的主权，但土耳其统治的其他民族有在“自治”的基础上不受干扰的发展机会，达达尼尔海峡在国际保证下永远开放为自由航道；（13）重建独立的拥有出海口的波兰，以国际条约保证其政治经济独立和领土完整；（14）根据旨在国家不分大小、相互保证政治独立和领土完整的特别盟约，设立国际联合机构。

后来有人把追求民主、宣扬道义、防止战争、倡导和平、民族自决和美国的世界责任的人们称为威尔逊主义者。——译者注除此之外，西线的德军现在有了兵力上的优势。在过去几年，德军在西线有 147 个师，协约国则有 178 个师。而如今，由于俄国的崩溃，德军至少在开始阶段拥有 191 个师，其中有军官 13.7 万名，士兵 350 万人和能够维持武器处于机动状态的马匹。换言之，德军的优势能够集中在防线上的任何一点，并取得毁灭性的攻击效果（像在卡波雷托战役取得的胜利那样）。为此，德军筹划了一系列有代号的军事行动，第一个代号的名字是大天使“米迦勒”。部分德军防线所起的代号则都取自瓦格纳的《尼伯龙根的指环》中的人物，比如，“齐格弗里德（Siegfried）”、“克里姆希尔德（Kriemhild）”、“洪丁–布伦希尔德（Hunding-Brünnhild）”。

常识告诉人们，如果你在进攻两支敌军，那么你要进攻两支部队的接合处。每支部队都会照顾自身，也许还会从不同方向后撤。保护巴黎的法军和保护英吉利海峡的英军就属于这种情况——他们可以借此逃回英国。早在 1914 年，就险些发生这样的撤退。现在，英军和法军刚好在圣康坦附近老的索姆河战场的北面联合作战。英军第五集团军驻守在那里到阿拉斯之间的防线上，指挥官高夫将军是一位屡遭霉运的英勇之士。英军大约 50 个师中只有 9 个师的官兵没有经历过帕斯尚尔战役的悲惨遭遇，部队的士气并不高昂。军官们注意到士兵不再演唱他们早些时候创作的非常好听的歌曲了。“我们在这里，因为我们在这里，因为我们在这里，因为我们在这里”，这句歌词典型地反映出当时英军士兵的低沉精神状态，他们感觉到自己是命运的玩偶和权力争夺的炮灰。

此外，英军方面不如德军那样充分理解这次战争中新的作战方法。尤其是奥托 · 冯 · 贝洛将军熟知如何把步兵和炮兵结合起来，就像在卡波雷托战役中那样。现在，他已被调到法国北部来发动鲁登道夫攻势。但是，如果说进攻战术现在已有巨大改进，那么防御战术也是一样。新的防御作战手段就是“纵深防御”，帕斯尚尔战役就是它的典范。由于各种原因，高夫将军和他的参谋没能理解纵深防御的道理，他们没有所需的兵力。他们认为一道强大的防线本身就是足够有效的东西。他们不相信他们的士兵能够在火力掩护下完成复杂的调动。他们低估了德国人（他们以为帕斯尚尔战役已使德军丢魂落魄）。但主要还是英国人认为万事最终都会好起来。高夫将军的几个营中近 90% 的兵力都部署在前线 3 000

码的范围内，这离敌人的大炮实在太近。而且，英军还存在一系列更深层的弱点——在 1917 年，英军遭受了 80 万人的伤亡，兵力又一次降到了 100 万以下。在帕斯尚尔战役之后，士兵都不再相信参谋人员。总共 8 个师的预备队都部署在北部佛兰德斯地区。美军开始抵达欧洲战场，但他们还没有受过训练，而且已准备好战斗的也只有 1 个师而已。最后，黑格将军被一群行动迟缓的年轻军官包围着，他们阿谀奉承，帮他递外套，他就像卡波雷托战役前的卡多尔纳将军一样，根本没有表现出任何焦虑的迹象。如果德军发起攻击，那么他们为什么就比黑格将军自己指挥的英军表现得更好呢？以上这些都是答案。

鲁登道夫偷偷地上演了军事集结的奇迹。他把 70 万人调到西线，即 76 个师对协约国的 26 个师（30 万人）；他还调集了西线全部大炮的 3/4——6 600 门——这使得德军在大炮方面具有了 3∶1 的优势。新式武器将交付使用，这包括可由一个或两个士兵携带的轻机枪和能够用步枪发射而无须用手投掷的手榴弹，步兵的战术因此变得更加具有灵活性。德军最大的优势在于它拥有大量的军士——中士和下士（希特勒就是一名下士，他因战斗勇敢而获得过两枚铁十字勋章）。这些人不是军官，但却知道如何指挥小分队作战。而在其他国家的军队里，你必须安排一位军官（甚至现在在俄国的军队中，军官们还管理着电话）。在比利时，德军有一所特殊学校，训练步兵不断地隐避、不断地迂回、不断给予彼此火力掩护，并快速前进。这些步兵组成了德军的突击队。他们不需要解决掉敌人的据点，而是要前进去摧毁敌人的通信联络网。其他没有受过类似训练的部队会去抵抗敌军。而且，发起攻击的德军还有其他有利条件。飞机这时已被广泛使用，因此，德军能够拍摄并根据地图确定英军的炮位，不再需要通过大炮校射员进行校射。此时的德军已有 2 600 架飞机，其中一些还是金属制的单翼机。

英军第五集团军就要面对这个非同寻常的战争机器。但他们还要遭遇最后的霉运，即高夫将军糟糕的命运。3 月 21 日凌晨 4 时 40 分，德军的大炮开始炮击。那个早晨，浓雾弥漫，英军的炮手无法看清德军的行动。德军的炮击分 7 个时段进行，一直持续到 9 时 40 分，共发射超过 100 万发炮弹。他们先是炮击英军的大炮，最后炮击英军的防线，并击中英军2 500门迫击炮。德军还使用了一种特殊的使人不舒服的气体，导致有些守军摘下防毒面具抓痒，这时各种毒气就在他们的搔痒处发威了。结果，英军的后方遭到损害，通信联络受到破坏，和卡佩罗将军在卡波雷托战役中的表现一样，高夫将军也失去了对战局的控制，尽管他北面的宾（Byng）将军指挥的第三集团军坚守住了阿拉斯的防御工事，并在最终起到了决定性作用。在第五集团军南侧的拉费尔（La Fère）到圣康坦一线，德军推进得异常迅速——在一周的时间里，他们在50英里宽的战线上向前推进了40英里，但有30万人的伤亡，而快速推进的渗透战术意味着其中的1/3成了俘虏。英军则损失了1 300门大炮。

英军后撤返回到老索姆河战场，并一直退到了亚眠。亚眠是重要的铁路枢纽，这里因为有一座从数学角度来看是法国造诣最精湛的大教堂而闻名于世，战略地位十分重要。德军能够在这“一战”线取得如此非凡的胜利，主要是因为在西线恢复了机动性，这是自1914年以来没有出现过的情况。在1914年，骑兵还有可能气势恢宏地慢跑涌入空旷的战场，可到了1918年，所有类型的科学技术都恰好出现了巨大进步，而德国在科技领域正独领风骚。

德军的胜利如此之大，以致鲁登道夫自己失去了所有的洞察力和前瞻意识。他忘记了卡波雷托战役的教训，又一次放弃了控制德军的弱点。他忘记了，一支军队无论取得多么辉煌的胜利，它都会失去曾有的前进势头。鲁登道夫先是将部队派往左侧的圣康坦–拉费尔一线来巩固已取得的胜利，可随后他又认为也许他可以攻占右侧的阿拉斯。但是，部队只能携带轻武器，在老索姆河战场的泥浆中，士兵无法轻易地拖拽那些大炮。德军的攻势刚好止步于距离亚眠铁路枢纽站不远的一条山脊处，他们从那里发动了精心安排又密集的射击，德军最大型的重炮能够打到火车站，但也只是刚刚打到。到此时，这场战争的规律再次证明了打仗是有规律可循的——预备队具有极其重要的价值。在这次战斗中，英国传统的红色双层伦敦大巴，把英军预备队送到了前线。此外，在自己防线的后方，德军偶然发现了大量英国人曾开设的商店，英国人每日拼命大吃，着实不可思议。

除了地面多山以外，这次德军发起攻势的地方与卡波雷托有两大不同。首先是上文已提及的，无论保时捷先生在工程方面的天赋多么出众，在老索姆河战场上，德军士兵都不可能轻易地在令人绝望的泥坑中拖拽大炮：个中原因，除了汽油短缺之外，橡胶轮胎也几近告罄，在这种情况下，卡车用上了木制或铁制车轮，这些车辆把道路搅拌成了烂泥。德军军官像卡多尔纳一样，愚蠢地纠结于错误，荒谬地指责其他所有人，这一方式没能在英军中发挥作用。英军步兵的指挥官黑格将军终于能够很好地服务部队了，他现在能够履行他以前本该履行的职责，并接受了负责预备队的一位法军指挥官的领导。3 月 26 日，在杜朗，黑格将军接受了福熙将军的指挥。与其他许多将军不同，福熙将军能够不断学习而不只是自我重复。实际上，自从参加马恩河战役的那些岁月以来，他已经学到了非常多的东西，而且，他还具有一种能使各方信任他的天赋。更重要的是，他控制着预备队，并因此能够机敏且强制性执行他制定的战略部署。这样，借助伦敦大巴、卡车和火车，法军 12 个师和一些英军预备队从佛兰德斯地区赶到了亚眠防线。前线上的协约国部队没有出现混乱无序、四散撤退的局面（而在 1915 年的戈尔利采战役和卡波雷托战役中都发生过那种情况）。到 4 月 4 日，德军的攻势被迫停止。

但鲁登道夫的主要想法是把英军清除出佛兰德斯地区，占领英吉利海峡的各个港口，并像《布列斯特和约》暗示的那样把英军赶出欧洲大陆。德军的三月攻势（也就是鲁登道夫攻势）诱使英军56个师中的48个师与40个师一起参战，现在，黑格将军手中只剩一个预备师。在伊普尔，英军的阵地非常容易遭到攻击——德军能够从3面对它进行射击，而且，占领帕斯尚尔反倒使他们自己的处境变得更加糟糕，因为该山脊的一部分正好位于伊普尔突出部的顶端。德国的火车再次启动，把数千门大炮转运到伊普尔，德军的飞机则能够确定英军的炮位，因此，德军的大炮在事先无须提供任何标示的情况下，根据地图资料就能炮击实际存在于地面上的目标。至少英军士兵已经意识到应该放弃在帕斯尚尔的突出部，但是即便如此，出于声誉和宣传的原因，指挥部禁止士兵们弃守该阵地，他们还得紧张和疲弱地固守在这里。4月9日，两支德军再次采用3月21日时使用的手段发起进攻，天气也非常有利，他们运气不错。在南侧，德军对葡萄牙的两个师展开了攻击。和意大利军人一样，葡萄牙军人为了学会走路甚或是像孩子那样的蹒跚走步，也被迫奔跑起来。因此，他们被当作炮灰，这样英国才会支持葡萄牙帝国维持它在非洲的地位。也因为如此，葡萄牙士兵根本没有热情，很快就被德军打败。

在伊普尔突出部，由于整个防御工事都伸入到德军控制的区域之中，因此无论如何都不可能组织纵深防御。4 月 12 日，德军不仅夺回了梅西讷岭，而且随后继续攻占了与它相连且是四周最高点的凯默尔山地，这是德军取得的又一次著名胜利。也就是在这个时候，英军则面临着崩溃的威胁。黑格将军的反应是——告诉士兵真相，我们已“身陷绝境”。从此以后，他展现出了令人惊讶的品性（尤其是学习的能力）。不过，鲁登道夫倒是帮了他的忙，胜利已冲昏这位德军指挥官的头脑。他重复了他在 3 月 21 日犯过的错误，而且不停地犯这一错误。德军随即就遭遇了由大巴和火车调运来的预备队——这一次是法军的 12 个师。阿兹布鲁克和贝蒂讷之间的铁路线仍在英军的控制之下，德军只能步行抵达已遭毁坏的乡村，并在精疲力竭的状态下对利斯河（这次战役就是以这条河流命名）那片当时是沼泽的地域发起进攻。协约国方面损失了 15 万人，德军损失 11 万人（另要加上三月攻势中伤亡的25万人）。重要的是，协约国方面能够承受得起这些损失，而德军却无法承受。

利斯河战役之后是一段长时间的间歇。德国的最后一个征兵年开始得较早，当时学生们已结束期末考试。从俄国返回的一些战俘也重新参军，德国政府还说服奥匈帝国派来了一些士兵（他们到达梅斯时都没穿战靴）。这样，德军再次满员。而且，根据兴登堡计划，德国仍在大规模生产军需品，尽管已经出现了过热的迹象。鲁登道夫的想法仍然是夺取英吉利海峡的港口，打乱英美军队抵达欧洲战场的步伐，但他必须减少自利斯河战役以来就集结在这个地区的预备队。于是，他选择攻击位于巴黎东北部埃纳河岸上贵妇小径的法军防线，这一次他又非常幸运。驻守此地的法军指挥官是一位名叫迪谢纳（Duchêne）的将军，是一个罕见的没有学习能力的人。他把士兵部署在最容易遭到炮击的前沿阵地。与此同时，另有撤退至此的英军5个师，由于在德军的三月攻势中经历了非常糟糕的时刻而需要休整，他们还以为这里是一个安静的地方。而在所有掩盖德军行动的噪声中，埃纳河里的蛙鸣作用最大，这些小动物差不多被彻底吓呆了，大叫不已。

5 月 27 日，天气如往常一样非常不错，德军动用 5 300 门大炮对英法军队的 1 400 门大炮发起攻击，4 个小时内共发射 200 万发炮弹。

当时，德军第七集团军在汉斯 · 冯 · 伯恩将军（Hans von Böhn）的指挥下，上演了一场几乎是奇迹的推进。他们登上了几乎垂直的山脊，跨过了埃纳河，并毫发无损地占领了河上的桥梁，甚至奋力跨越了河对岸的沼泽地。最终，这支德军抵达了马恩河，他们在此动用重型大炮之王“大贝尔塔（Big Bertha）”（以军火制造商克虏伯的妻子命名），向 40 英里之外的巴黎发射炮弹。

可是，鲁登道夫随后再次犯下他在 3 月 21 日和 4 月 9 日的错误，他真是一错再错。携带轻武器的德军马上就得与携带重武器的协约国预备队展开较量，火车已把法军 30 个预备师运到了前线。此时，美军也赶来参战，在蒂耶里堡和贝洛森林，他们获得了第一次参加欧洲本土作战的经验，并很好地履行了他们的职责。6 月 2 日，据守马恩河的法美联军共 27 个师进行反击。6 月 9 日，德军则在位于此次战场北面毗邻的英军老索姆河防线的蒙迪迪耶发起进攻，但遭到了失败。

对于即将发生的一切，这是一个预兆。首先，鲁登道夫攻势使德军建立起了3个十分庞大的突出部，德军的战线延伸到了空旷地带，其中一些只是草草建成，非常容易受到攻击；其次，德军要与敌军直接交战的防线从390公里扩大到510公里；最后，曾受到全面胜利鼓舞的德军，必然会因为协约国没有崩溃而感到沮丧不已。更重要的是，每月有20万美军抵达欧洲战场——协约国的宣传机器充分报道了这个事实。

鲁登道夫的德军在马恩河战役中建起的巨大突出部，最易遭受攻击，它的边界分别在西北面苏瓦松和东北面的兰斯。7月15日，德军的最后一次攻势在这一区域展开。德皇亲自督战，因此这次战役被广泛宣传成一场帝皇之战，甚至是一场“和平攻势”。德军集结52个师，采用平常的压倒性炮击战术。不过，现在的协约国已经预估到会出现的情况（法国的情报部门运作的非常出色。在卢森堡的德文报纸中，法国情报人员使用一些广告来传递德军铁路运行的详细信息）。他们也熟悉了应对鲁登道夫攻击手段的有效方法在于反炮兵射击，就是掩蔽己方炮位，一旦确定敌方炮位，立刻就对正在炮击的敌方大炮开火。而且，在兰斯东面的纵深防御，也意味着德军在到达法军主阵地前，就已经精疲力竭。贝当将军动用预备队，德军则在 7 月 17 日停止了进攻。

现在，协约国军队的还击开始了。他们从维莱科特雷（大仲马的出生地）森林地带对马恩河突出部的另一侧发起反击。法军已研制出了一种轻型、移动迅速的坦克。位于英军右侧的德伯尼和位于他右侧的曼金两位将军已开始试用将在 1940 年变得闻名遐迩的闪电战——坦克、快速移动的步兵和低空飞翔的飞机把德军的炮手打得抬不起头来。雷诺公司生产的 300 辆坦克和 18 个师——其中有美军两个师——完全出人意料地攻入了一片空旷的麦田中，并向前推进了 5 英里。由于在马恩河突出部的全部德军面临着被切断后路的威胁，因此，鲁登道夫决定军队从突出部后撤到贵妇小径。到 8 月 4 日，法军俘获了 3 万名战俘并缴获了 600 门大炮。福熙将军随后命令军队停止进攻，不再动用轻武器炮击预备队。他发现了赢得这次战争的方法——就是在取得胜利的地方暂停进攻，而攻击其他地方，使敌人的预备队处于移动之中。移动，他们确实在不停地移动——乘坐火车的缓慢行军、停止战斗、撤销原来的命令或继续战斗，炎热天气里发生的所有这一切，都使部队士气低落。

现在，德军的预备队受到非常严重的干扰。实际上，在战争的最后3个月里，整个德军1/3的部队都把时间浪费在行动缓慢的火车里。为在佛兰德斯地区发起巨大攻势，鲁登道夫已做好各种准备，但现在他不得不一再推迟这项计划。他的防御顾问洛斯伯格希望德军后撤，甚至撤到默兹河和安特卫普，鲁登道夫拒绝了他的意见。在贵妇小径，法军保持着对德军一定的压力，而接下来协约国的主要联合行动是英军于8月8日在亚眠发动的进攻。这是一项有目标的计划，只要迫使德军退出亚眠火车站周边地区之外就可以了，很显然，英军切实研究过法军在7月18日的典范性胜利。英军方面的罗林森、澳大利亚军团的莫纳什和加拿大军团的柯里等几位将军，都是非常讲求实际的人物，他们得以劝服黑格将军当机会来临时，进攻不要超过几天时间。协约国军队已经确立了空中优势。而且，现在所有类型的武器都非常充足，尤其是快速移动的步兵所携带的刘易斯式轻机枪。此外，来回低飞的飞机能够掩盖住成排行进的坦克发出的噪声，根本无须预先炮击，清晨的雾气掩蔽了最初的攻势。再者，新的马克 5 型坦克和快速轻型坦克要比早期的坦克更快和更可靠。最后，协约国研制出一种特殊的东西，能够在德军后方设置气幕和烈性炸药，从而瓦解了任何可能的反击。结果，协约国军队在 8 月 8 日取得了一场大胜，在几乎没有设防的阵地中，毫无准备、惊慌失措的德军束手被擒，有一个旅的参谋甚至是在用早餐时就成为俘虏。在这次战斗的第一天，德军有 12 000 人成为俘虏，被夺去的大炮有 400 门。到了这次军事行动结束之时，几乎有 5 万德军成为俘虏。

一般来说，打败任何一支军队都要经历一个神秘的过程——它的关键点往往出现在士兵放弃希望之时。就俄军的情况而言，这个关键点出现在 1916 年 9 月勃鲁西洛夫攻势行将结束和沙皇近卫军在科韦利与弗拉基米尔沃伦斯基城前的沼泽地中遭受无休止的血腥失败上。7 月 18 日，在维莱科特雷的反击正在进行时，德军的士气开始崩溃。在比利时斯帕市的德军总部，德皇礼貌地询问鲁登道夫出了什么问题，鲁登道夫说道，只是士兵们不再战斗，有数千人投降而已。另一个预示德军士气低落的征兆是报告生病的士兵人数越来越多。非常奇怪的是，如果能够得到精心的领导，士兵一般不会生病——比如，在1805年的特拉法尔加海战之前，法国的那位海军上将维尔纳夫不得不把1 000名生病的士兵留在西印度群岛，而恰恰在同一地域，英国的海军上将纳尔逊爵士却没有把一兵一卒丢弃在那里。

鲁登道夫甚至写了一封指责德皇的信件，他自己（和卡多尔纳一样）认为德国在听任政治左派传播失败主义。但是在亚眠战役之后，是鲁登道夫自己的神经开始崩溃了。他开始摔瓶子、找碴儿、和下属甚至与老迈无用的兴登堡争吵。兴登堡可是一直没有伤害任何人，这位总司令非常像一位慈祥的父亲。甚至在三月攻势开始前，他还写信给他的妻子，大意是总参谋部非常繁忙，但他手头上有充裕的时间，能否寄给他各种德国经典名著，他要再读一遍。此时的鲁登道夫声称，他只能指挥一场防御行动。看来福熙将军证明了他自己的正确。他让德军一直处在压力之下，并在一份携带方便的备忘录中论证了获胜的关键在于取得最初的胜利，然后暂停进攻。

8月17日在阿拉斯、21日在索姆河区域的巴波姆、26日在庞大的齐格弗里德防线突出部——被称作德罗库尔-凯昂隘口、28日在圣康坦、9月4日在凯默尔山地等战斗中，英军都冲锋在前，发挥了领导作用。与此同时，法军重新占领了德军在5月27日获胜后建起的整个突出部。9月12日，美军开始参加战斗，50万士兵、1 500架飞机和轻型坦克在付出巨大努力后，肃清了凡尔登东南方向圣米耶勒突出部上的德军（尽管德军及时设法撤出了它的大部分兵力）。随后美军还坚守过伊普尔突出部，但历时不长。快到9月末的时候，美军的行动表明，他们没有从当时犯了许多错误且执迷不悟的英军那里学东西。在凡尔登北面的阿尔贡，大部分地区都遭到了毁灭性的破坏，而且这里遍布河流和沟壑，根本不可能在这一地带使用坦克。美军15个师（是常规师兵力的两倍）和法军22个师在阿尔贡地区展开军事行动，他们拥有8∶1的人员优势。但是，法美联军的后勤供给出现了问题。而且美军的指挥官们顽固地无视1917年的战术教训，继续使用那些过时的手段，把大量的训练时间花费在步枪射击上，而这种方法本身在当时几乎已经被淘汰了。接下来他们又误入了一个德军已经有所准备的阵地，克里姆希尔德防线之中，并被困在那里——唯一一个真正的好处就是德军的预备队（36

个师）也不得不集结在那里。

这种情况促使英军谋划了一个几乎可算得上是经典之战的战役，并随之摧毁了齐格弗里德防线（英国人称之为“兴登堡防线”）。9 月 27 日，英军动用强大兵力对康布雷前面的 9 英里长的防线发起进攻。德军的防御阵地有 3 公里纵深，最独特的地方在于圣康坦运河流经其中。这条运河有 5 英尺高的斜坡，向下是 6 英尺深浑浊的水流。在这个阵地上，坦克能够通行的唯一道路，似乎就只有圣康坦运河经过的一个大型隧道，但它被厚重的铁丝网覆盖着，坦克会被堵塞在那里。不过，英军的大规模炮击超过了 8 小时，仅仅是野战炮每分钟就会发射 126 发炮弹落在 500 码的战壕上，再加上准备十分充分的重型大炮的反炮兵射击，德军的重型大炮被彻底摧毁。实际上，德军的防御部队已被打得晕头转向。好运也随之而来，英军竟然得到了德军防御阵地的草图。另一个好运接踵而至，运河上浓雾弥漫，这使得一个师能够跨过运河，并登上对岸，并随即在齐格弗里德防线上撕开一条 3 英里宽的口子。这一军事行动中的壮举使得澳大利亚军队和加拿大军队能够在两侧向前推进。到 10 月 5 日，英军挺进到开阔且无防御的地带，黑格将军又一次提出停止前进。不过，德军却在持续撤退，11月初，他们把防线部署在与布鲁塞尔和那慕尔还有一定距离的地方。而在另一条战线上，美军终于在10月中旬突破了克里姆希尔德防线，并能够由此威胁德军在梅斯的大型铁路运输基地。

事态已经非常明显，德国将要战败。从3月到7月，已经损失了超过100万士兵。而且在接下来的几个月里，又有75万名士兵伤亡，其中有一半成了战俘。此外，随着工厂工人劳累过度，德国在战争时期的经济也出现了危机。社会民主党的领导人抱怨，柏林北部和东部的工人阶级缺少4 000列铁路货车用于运输关乎生命的马铃薯。正像1945年发生的情况一样，这个国家毫无疑问能够继续战斗下去直至1919年，但结局已是一清二楚。9月28日，鲁登道夫的神经彻底崩溃，他对每个人咆哮，最后甚至对德皇发火——必须停止战争。他告诉他的参谋人员，“军人已无信心，无法再相信他们”。当然，德军能够在莱茵河畔进行抵抗，但一切都在分崩离析，德国的盟友现在都退出了同盟国集团。这些国家一直在密切关注西线的战争，随着鲁登道夫巨大的攻势招致失败，它们期望能够保全一些东西以免遭到彻底毁灭。

萨洛尼卡曾被德国人轻蔑地称作最大的战俘集中营。9月15日，该地的协约国部队最终终结了同盟国军队对它的控制，并向前推进，保加利亚的军队随之崩溃。无论如何，德国人都没有像保加利亚人所期望的那样奖赏他们——建立往昔岁月（很久以前）中存在过的什么南巴尔干帝国。9月28日，保加利亚人请求停战，并断绝了它与奥斯曼帝国的关系。不过，不管怎样，青年土耳其党人对德国干预高加索也感到气愤。一些人在考虑他们是否可以放弃德国人并把阿拉伯人让给英国人来统治。作为交换，在英国的支持下，土耳其把统治力量集中在高加索地区及其石油资源上面。恩维尔·帕夏正在全面彻底考虑替代奥斯曼帝国的方案——一个民族主义的土耳其，一个将接管突厥人的中亚土耳其。一些青年土耳其党人搭乘德军的一艘潜艇离开敖德萨，开始了他们的行程，分别前往阿富汗、高加索地区、柏林和莫斯科来落实这个方案。奥斯曼帝国的军队撤出叙利亚，并与协约国在10月30日达成了停战协议。奥匈帝国随后也退出了同盟国集团。在此之前，奥匈政府口头上表示接受威尔逊总统的“十四点计划”，皇帝还任命完全相信“十四点计划”的拉马克教授（他最后在流亡期间成为了加州伯克利大学的教授）出任首相。但这也意味着哈布斯堡帝国的终结。匈牙利宣布独立，代表其他各个非德意志民族的民族委员会也宣布独立。非常奇怪的是，奥地利的德意志人竟然抢先站队期望加入德国。当时甚至发生了德军对奥地利的短暂入侵。意大利人利用这种混乱状况，乘机抓捕成百上千名未加抵抗的奥军士兵，并将这一事件称为维托里奥维内托战役。

德国手中仍握有一些底牌。确实，它的军队已今不如昔，但它的一些关键力量仍令人畏惧。德国控制着俄国和土耳其的大部分地区。而且冬天就要来临。在协约国方面，莱茵河是一大天然障碍。而战争导致的疲倦也是一个值得关注的重要因素。此外，各国内部还存在着潜在的分歧——拥有庞大帝国的英国人，会对包括殖民地解放条款的“十四点计划”感到满意吗？毕竟，《布列斯特和约》已经造成了沙俄帝国境内非俄罗斯民族的自决。与此同时，还存在着另外一种可能性——美国有可能呼吁德国作为最重要的反共产主义国家，而德国可以因此维持运转。此时，鲁登道夫有了一位傀儡外交部部长。在9月末保加利亚停战之后，鲁登道夫曾草率地起草了一份计划，他甚至没向宰相透露。威尔逊总统可能会受到欢迎，这意味着要正式地使德国以更为民主的方式进行统治。德国左派倒是可以在这个意义上使自身成为有用的道具。可是鲁登道夫和其他许多民族主义者已在指责这种方式造成兵民士气下滑、经济混乱，高工资还导致了通货膨胀。9月30日，德皇任命一位思想开明的南德人士巴登亲王马克思出任新宰相，他的内阁包括了一些中左派政党的代表。马克思亲王充分地意识到，如果他请求停战，恰恰有可能会无可挽回地瓦解人民的士气，人们会觉得木已成舟，没什么好说的，于是可能会出现突然的崩溃，从而不会给和谈留有任何余地。从事态的发展来看，他无疑是正确的。德皇在写给马克思亲王的一封公开信中，对这个想法嗤之以鼻，并指出，“任命您为宰相，不是为了给最高统帅部制造麻烦”。这是德皇最后一次为德国历史做出他的灾难性“贡献”。鲁登道夫在真正切实地拯救他自己的声誉——劝告其他人努力结束这场战争，但当他看到德皇的公开信后随即改变了主意，并说这不是他的错。

第六章　1918

在电影《多可爱的战争》片尾处，有一个极具创意的画面，战争墓地在整个银幕上铺开，红丝带缠绕着一座座坟墓，随风飘舞。这就是当时发生的情况。在一个多月的时间里，各国的政府官员和统帅部的军官们郑重地商讨着停战的所有细节问题。与此同时，士兵们则在继续战斗，成百上千地战死。德皇的公开信给协约国方面带来了一些麻烦，因为它们不得不嘴上说着民主和民族自决的话语，实际上却都决意复仇、建立帝国并要使战败国付出代价。甚至比利时人都认为他们应该从荷兰人手中夺回斯海尔德河入海口。尽管英国人的谈判技巧最终占了上风，但要取得一致的反应、把贪婪和虔诚结合在一起，还都是非常困难的事情。

德国人的反应和行动要更加笨拙不堪。中左派的领导人马蒂亚斯·埃茨贝格尔和菲利普·沙伊德曼都非常现实，想要采用“十四点计划”，但德国的将军们只是在10月5日大致看了一遍，外交官则以为这些计划可能是有用的谈判要点，但没有更大的价值。于是，外交照会在德美之间来回互换——威尔逊总统在8日、柏林方面在12日、威尔逊总统在14日、柏林方面在20日，其后在月底还进行了另一轮照会交换。如果德国人更现实一些的话，也许就能够拯救一些事物。但他们心存幻想，执迷不悟，尤其是在10月12日他们愚蠢地犯下大错，竟然击沉了英国伦斯特号（Leinster）客轮，造成450人溺死，其中包括130名妇女和儿童。此外，撤退的德军在经过佛兰德斯地区的过程中，向井中投毒并砍死果树。威尔逊总统开始时的提议宽宏大量，充满了高尚的情调，这曾令他的盟国惊骇不已。但现在，他提高了要求——德国必须成为一个拥有真正民主的君主立宪制国家，潜艇战必须停止。马克思亲王接受了这些要求。可就在这个关键时刻，鲁登道夫却彻底改变了他原初的行动方针，并开始编造一个非常危险的传说——德国没有真正输掉战争。他来到柏林，根本没有去聆听德皇的个人意见，就宣布德国能够继续战斗。10月26日，他废止了由他自己任命的外交部官员所宣布的停战条款，并与遭他羞辱的德皇一起划船小游。对于马克思亲王和他那些好心好意的左派同僚们，他则挖苦道，“这些人可以吃上几口他们为我们军人熬煮好的汤食”。政府官员的命运确实如此。军队领导人的声望没有受到任何损害，完好地保存了下来。在战后的一个关键时刻，鲁登道夫利用他自己的影响力把希特勒带入政坛[1]。10年后的1933年，身为总统、年高昏聩的兴登堡任命希特勒为德国总理。

与此同时，尽管德军的士气处于崩溃之中，但最后的危机之所以突然发生，却是由另外一次绝望的行动引发的。德国海军和陆军之间的竞争已经极大地削弱了德国在战争中的努力，而就在人们对于这一情况进行着奇怪争论的过程中，德国海军司令部决定采取最后一次疯狂行动。海军总参谋长冯·莱韦措上校已经预见到德国所有大型战舰都有可能会被协约国扣留，不可能留下来用于最终重建帝国海军。他认为较好的解决办法是“沉船海底，获不朽声名”。海军司令部于10月27日下达命令，公海舰队向着泰晤士河入海口这一大致方向上起航作战。8万名水兵和锅炉工对于要葬身海底毫无热情。他们先在基尔港，随后在吕贝克和威廉港发动兵变。起义很快蔓延到科隆和慕尼黑，有位演员甚至接管了慕尼黑的政权。当时的德国出现了俄国1917年时的氛围，也建立了工兵代表委员会。在马克思亲王领导下已经接管政府的社会民主党人认识到，如果要避免布尔什维克革命，就必须采取有效行动。必须立刻毫不拖延地停止战争，德皇必须退位。

将军们把这一情况原原本本地禀告给了德皇，11 月 9 日，德皇退位（并逃到了荷兰）。与此同时，共和国在柏林宣布成立。无论如何，德国处于混乱之中，立即停战的时机已经来到。德国的一个代表团前往位于贡比涅森林中福熙将军的总部，炮击于 11 月 11 日上午 11 时终止。停战条款非常严厉——德国不许再战，协约国军队占领莱茵河。德国没有被占领，事实证明这是一个致命的错误决定。但不管怎么说，战争结束了。

第六章　1918

说明：

1　在1923年，他与希特勒一起试图在慕尼黑发动政变，他使得希特勒成为了受人们尊重的人物。不过，在20世纪30年代，在有人指出他所写东西的本质之前，人们认为他是第三帝国的唯一一位公开反对者（鲁登道夫觉得第三帝国在反对天主教方面做得还不够）。他于1938年病逝，第三帝国为他举行了国葬。在葬礼上，悼念者带着古怪的钢盔，并都发出了奇怪的呜咽声。

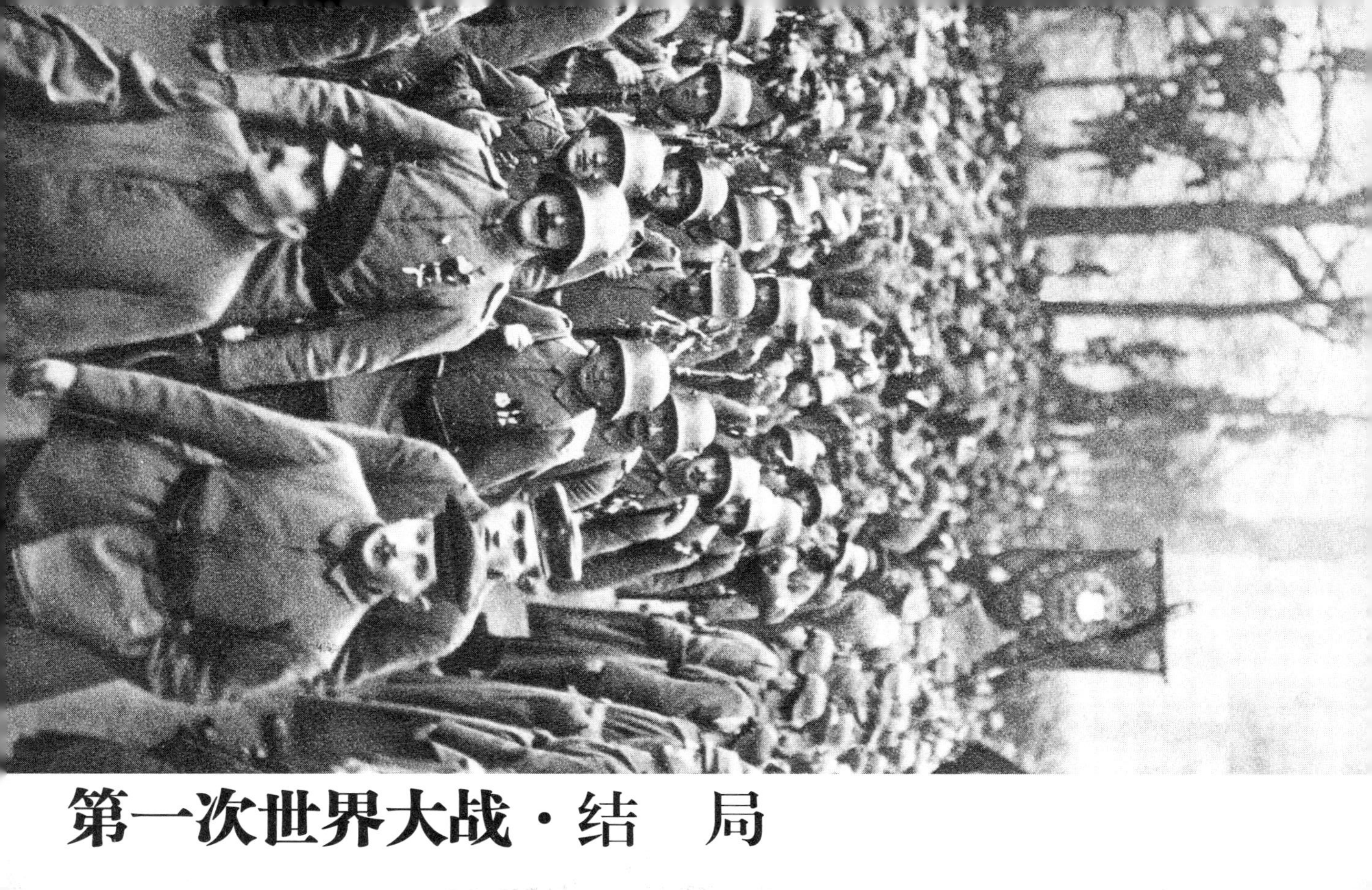

第一次世界大战·结局

返乡的德军正步前进通过柏林

第七章 结　局

1918年11月中旬，威尔逊总统怀着极大的热情，亲自来到欧洲。他代表着一种新的世界秩序，其中的进步和自由将能够重启1914年停止的前进步伐。多个和平条约被分门别类，并在巴黎地区的不同宫殿中签署。在签约过程中，协约国内部的讨价还价要远多于它们与战败国之间的争论，战败国只是被告知在正式文件上签字而已。1919年6月28日在凡尔赛宫，协约国与德国签署的条约最为重要，其他条约也随之签署。在威廉·奥尔彭爵士[①]的那幅著名油画中——和平的缔造者们看上去对他们自己的姿态都极为满意。他们在路

---

① 威廉·奥彭爵士（1878~1931），著名肖像画画家。本文所说著名油画是指他的名作《凡尔赛宫签署和平条约》。——译者注

易十四的镜厅中，个个都长着丝绸般光洁的胡须、目光尖锐炯炯逼人、坐姿高贵面孔严肃，呆板的样子都有点儿永生的感觉。在旁观看的一位印度土邦王公和一位日本男爵成了和平缔造者们国际主义和仁心善举的明证。据说克里孟梭本人曾评论过，他坐在了未来的拿破仑（其实是劳合 · 乔治）和未来的耶稣 · 基督（其实是威尔逊）之间。

即使是在当时，这些人也没必要表现得这么自信。在全世界流感已夺去了1 000万染病者的生命；在俄国，直到1920年布尔什维克取得胜利之前，内战造成了数百万人死亡。协约国分裂中东的企图很快就遭到了失败。英军接管了属于穆斯林的阿拉伯各国及其石油。他们的“阿拉伯通”T · E · 劳伦斯满腹狐疑地评论说，土耳其统治伊拉克，动用的是在当地征召的14 000名士兵，而且每年还要处死90人。尽管英军有10万士兵，还有坦克、飞机和毒气，却时时面临着与每个人的战争。土耳其苏丹在英法联军占领伊斯坦布尔后成为俘虏，他被迫签署《色佛尔条约》，这不仅大大减少了苏丹的统治区域，而且使土耳其经历了一次被强制性的再文明过程[1]。在被打败的列强中，唯有土耳其人在天才领袖穆斯塔法 · 凯

末尔 · 阿塔图尔克的领导下，实现了复兴，并在 1922 年重建了他们自己的国家。在 1923 年的洛桑，协约国列强随即承认了土耳其的独立。反常的是，土耳其是战后形成的、并自此一直繁盛的唯一创造物。其他的新兴政权都遭到失败，在有些情况下失败来得还非常迅速。奥彭画作中那些被精美修饰的政治家们多数都被他们自己的选民所拒绝，他们开创的东西都出了问题。在 1919 年，欧洲的几个帝国大幅度扩大它们的统治疆域，可是在未来 10 年的时间里，这些帝国却不断解体，在一代人的时间里就都不复存在了。

表明《凡尔赛和约》失败的清单越来越长。它建立了裁定国际问题的“国际联盟（League of Nations）”。在开始阶段，国联非常出色地组织了在巴尔干半岛的各国间所发生的人口迁移。但随后在面临重大问题时，这个组织就陷入了细枝末节的问题之中。比如，当“二战”爆发时，国联的反应却是各国应该讨论一下交叉路口的标准化问题。国联把世界经济联结在一起的努力也遭到了重挫。到 1920 年，战后的繁荣已有所衰退。到 1929 年，世界史上最严重的经济危机爆发，并随之给全世界带来了政治灾难。1918 年到 1919 年间建立的未来议会制民族国家联盟，基本上不再具有议会的作用。在20世纪20年代，布尔什维克控制的俄罗斯还有点儿人情味；而在斯大林统治下，这个国家露出了一张畸形的脸庞。

在当时，最糟糕的问题都与德国有关。1919年2月，新的共和派政客们在魏玛召开会议，并制定了一部民主宪法，它也许是有史以来最缺乏想象力的一部民主宪法（它的制定者坚定地要证明真正的威尔逊主义者诚信可靠，以至于规定了没完没了的选举和比例投票制）。根据《凡尔赛和约》，德国失去了大片领土，特别是割让给波兰的部分，招致该国民众非常广泛的不满。但真正的问题是资金。德国人因发动战争而遭到正式谴责，并被要求为他们造成的损害支付“赔偿”。但法国的真正想法是利用这种手段来阻止德国经济的复兴，前协约国的其他成员国则期望能够利用德国的赔款还清它们的战争债务。1921年，协约国确定德国的赔款总额为132亿金马克，这意味着在数代人的时间里，德国每年要把从出口中获得资金的1/4移交给协约国各国。这样数量的资金本可以设法从一个被占领国家取得，像第二次世界大战中纳粹在法国和后来欧洲经济共同体在德国所做的那样。但当时的协约国集团审慎地避免占领德国，他们担心占领可能会造成德国人的动乱。因此，他们期望主张民主的政客们能够与他们合作共事。但是协约国集团的要求过多，胃口太大。在20世纪20年代，美国的投资进入德国，还可以被用作支付每年的赔偿费用。后来，世界经济出了问题，美国的资金也停止流转。所有德国人或多或少都把他们的经济困境归咎于赔款，更为普遍的是归罪于《凡尔赛和约》，这是希特勒手中最强有力的王牌。事实上，议会中不再有一个多数派准备承担责任。从这个角度来说，“魏玛民主”在1930年时就已经失败。当时最大的政党社会民主党因“建设性弃权”而与众不同，意思是它既不投票赞成也不投票反对。德国国会就这样维持着内部分裂的状态。在1932年，德国的选举日要比国会开会时间还要多。年迈的兴登堡总统按法令进行统治。在1933年，德国多数选民要么支持共产党要么支持纳粹党，结果希特勒被任命为总理。他呼吁拥有充分的权力，换言之就是独裁，这需要得到德国国会2/3代表的授权。希特勒得到了支持！

社会民主党人是魏玛共和国[1]的指路明灯，希特勒获得独裁授权，这是放弃战后解决方案的最后注解。到此时，他们（换了一个党名）在国会中的代表席位减少到了5个。当要对希特勒的提案进行投票时，这几个人之间又发生了分裂。有两位代表投票支持希特勒，两位反对，一位弃权并抗议其他人在分裂该政党。到这个时候，赔偿已被废止，但已经造成了损害，希特勒已经启动了一个极端民族主义的计划。

在所有的危险中，真正的灾难是德国人并不认为他们已经被打败。德国人坚定地认同一个传说，即他们遭到了“背叛”——犹太人、左派分子和头脑愚笨的学究们妨碍了德国赢得战争，阻止了德国建立一个会比天真的美国人能够梦想到的任何事物都更合理的欧洲。鲁登道夫是这个怪诞传说的主要设计者。当时有一位英国记者，在一个偶然场合用英语问他是否感到德国遭到了背叛，经过翻译人员的解释，他回答说，“是的，德国遭到了背叛”。

在“一战”的最后岁月里，人们在讨论停战条款之时，

① 指1919年到1933年希特勒上台前的德国。因这一时期的德国宪法在魏玛小城制定，且奉行民主共和原则，故将这一时期德国称为魏玛共和国。——译者注

劳合·乔治已经意识到接下来可能会发生的灾难。他曾发表了一个引发争议的评论："即使现在实现了和平，20年后的德国人也会像当年迦太基[①]人谈论第一次布匿战争一样。他们会说他们犯了这样那样的错误，如果进行更充分的组织和准备，他们就能够在下一次战争中赢得胜利。"[2]这多少有点儿像希特勒在《我的奋斗》中所说的论断——德国应该会赢得胜利，只要它不受背叛、不受不合时宜的人道主义的胡说八道和左派叛徒姑息养奸政策的祸害，它就能够获胜。1918年11月10日，希特勒正在养病——因为战场上的毒气曾导致他失明。当他听到有人说爆发革命了，他的反应是："从我站在我母亲坟前的那一天起，我不曾再流泪悲叹……一切都已是徒劳……难道所发生的一切竟能使一群卑劣的罪犯攫取我的祖国？我越想清晰地理解此时发生的可怕事件，我越是羞愤交集，怒火中烧，与这场可悲的灾难相比，我双目所受的

① 迦太基，位于今突尼斯境内。公元前8世纪到公元前2世纪曾是地中海区域著名的强国，实行贵族寡头政体，先后与希腊各城邦和古罗马共和国争霸地中海。迦太基与古罗马共和国之间进行过3次布匿（罗马人称迦太基人为布匿）战争，以罗马获胜而告终。本文所说的第一次布匿战争发生在公元前264年到公元前241年之间。——译者注。

痛苦，又算得了什么？”他得出的结论就是：“不要和犹太人谈任何条件，只能有一个现实和毫不妥协的选择——或此或彼”。通往比“一战”还要恐怖的第二次世界大战的道路已经铺就成功。

说明：

1　条约中有一条（从未被批准）规定，禁止出售不干净的明信片。

2　引自《劳合·乔治：战争领袖》（Lloyd George: War Leader），从两个角度来说，这是一部最具同情心的论著。但非常不幸的是，作者没能在生前完成关于劳合·乔治人生历程的写作，没能对“一战”获胜后劳合·乔治的计划进行阐述。

1914年的欧洲
北
挪 威
丹 麦
哥本哈
英
国
北 海
都柏林
荷
兰
德
海牙
伦敦
泰晤士河
英吉利海峡
布鲁塞尔
列日
比利时
大 西 洋
卢森堡
国
河
纳
塞
河
恩
马
巴黎
莱
茵
河
多
瑙
河
尔
卢
瓦
法
国
伯尔尼
瑞 士
波
河
亚
葡
萄
牙
马德里
里斯本
西 班 牙
罗马
意
大
地 中 海
西属摩洛哥
法属摩洛哥
法属阿尔及利亚
法属
突尼斯

1914年国际边界线
芬兰
圣彼得堡
斯多哥尔摩
爱沙尼亚
利沃尼亚
拉托维亚
库尔兰
立陶宛
东普鲁士
坦能堡
白俄罗斯
华沙
波兰
加里西亚
奥匈帝国
布达佩斯
罗马尼亚
布加勒斯特
贝尔格莱德
塞尔维亚
保加利亚
索菲亚
阿尔巴尼亚
门的内哥罗
希腊
爱琴海
雅典
君士坦丁堡
奥斯曼帝国
英属塞浦路斯
意属利比亚
英属埃及
莫斯科
俄国
哈尔科夫
基辅
乌克兰
敖德萨
克里米亚
塞瓦斯托波尔
黑海
第聂伯河
顿河
顿涅茨河
门尼河
瓦斯维河
多瑙河

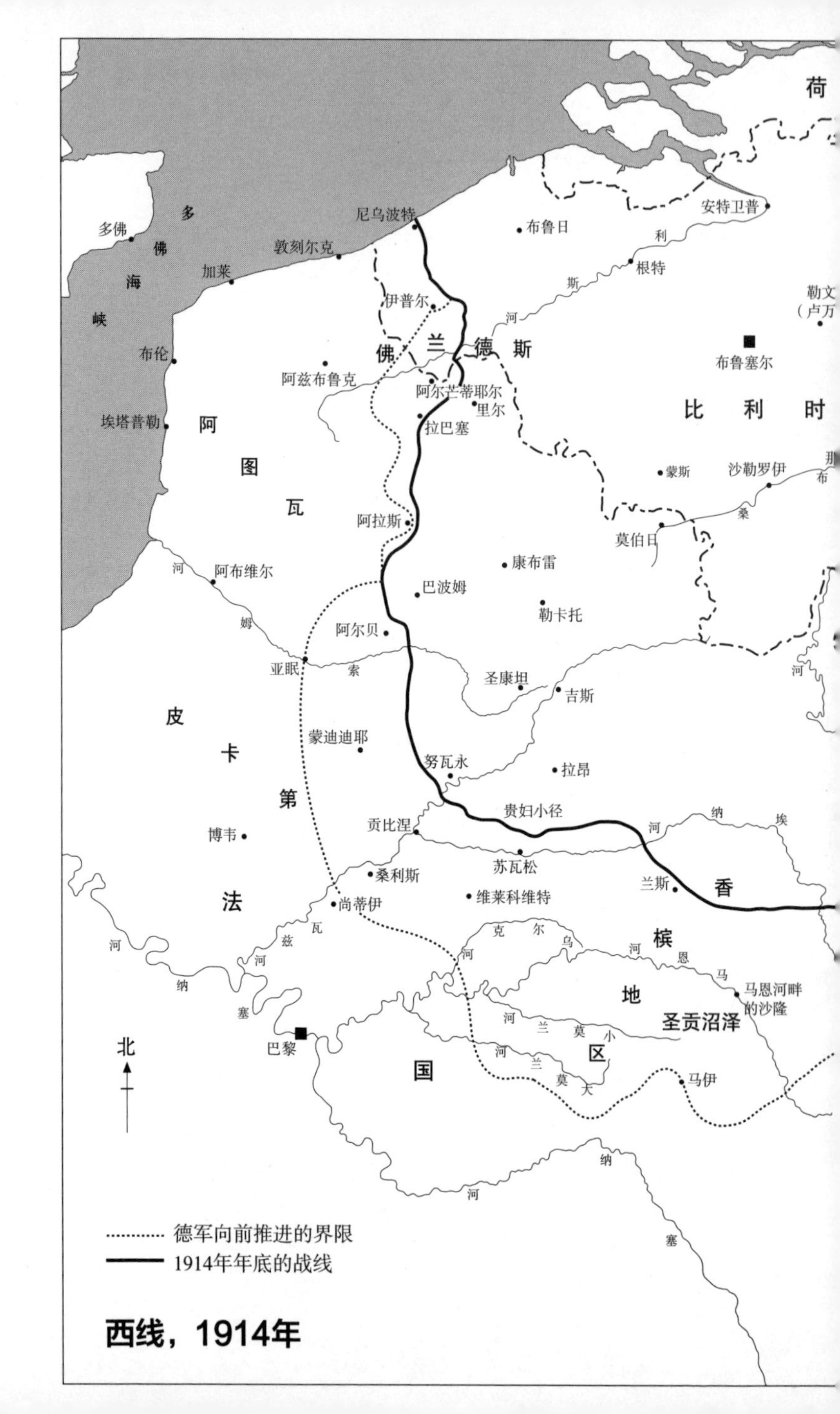

荷
安特卫普
布鲁日
斯利河
根特
勒文（卢万
布鲁塞尔
比利时
多佛海峡
多佛
尼乌波特
敦刻尔克
加莱
伊普尔
佛兰德斯
布伦
阿兹布鲁克
阿尔芒蒂耶尔
里尔
拉巴塞
埃塔普勒
阿图瓦
蒙斯
沙勒罗伊
桑布河
莫伯日
阿拉斯
康布雷
阿布维尔
巴波姆
勒卡托
索姆河
阿尔贝
亚眠
圣康坦
吉斯
皮卡第
蒙迪迪耶
努瓦永
拉昂
贵妇小径
贡比涅
埃纳河
博韦
苏瓦松
桑利斯
兰斯
香槟地区
维莱科维特
尚蒂伊
法国
瓦兹河
乌尔克河
马恩河
马恩河畔的沙隆
圣贡沼泽
塞纳河
小莫兰河
大莫兰河
巴黎
马伊
北
德军向前推进的界限
1914年年底的战线
西线，1914年

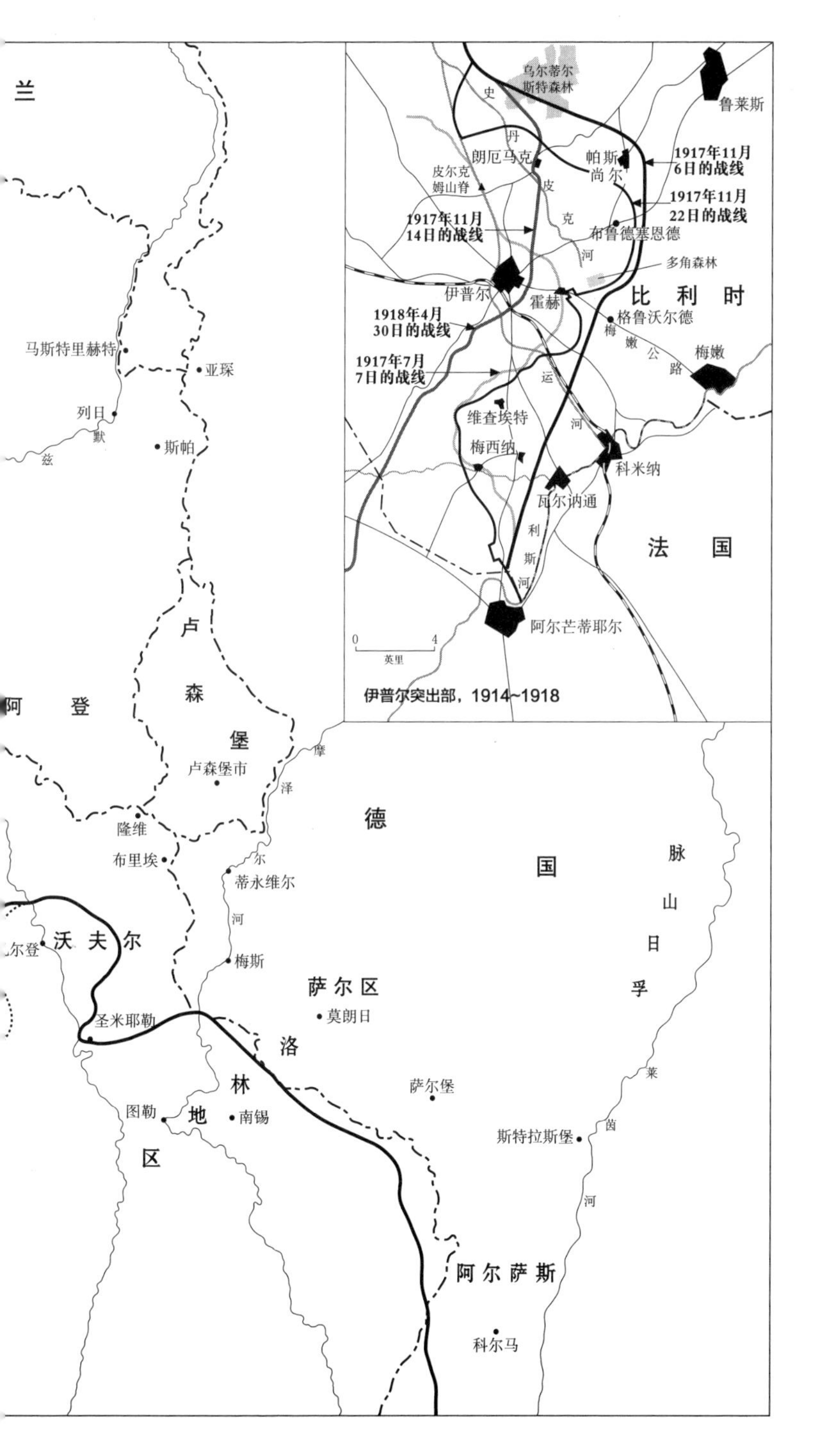

伊普尔突出部，1914~1918
乌尔蒂尔斯特森林
鲁莱斯
史
丹
朗厄马克
帕斯尚尔
1917年11月6日的战线
皮尔克姆山脊
皮
1917年11月22日的战线
1917年11月14日的战线
克
布鲁德塞恩德
河
多角森林
伊普尔
霍赫
比利时
1918年4月30日的战线
格鲁沃尔德
梅嫩公路
梅嫩
1917年7月7日的战线
运
河
维查埃特
梅西纳
科米纳
瓦尔讷通
利
斯
河
法国
阿尔芒蒂耶尔
0
4
英里
兰
马斯特里赫特
亚琛
列日
默
兹
斯帕
卢
森
堡
阿
登
卢森堡市
摩
泽
隆维
布里埃
尔
蒂永维尔
河
德
国
脉
山
日
孚
沃夫尔
梅斯
萨尔区
莫朗日
圣米耶勒
洛
林
地
区
萨尔堡
莱
茵
河
斯特拉斯堡
图勒
南锡
阿尔萨斯
科尔马

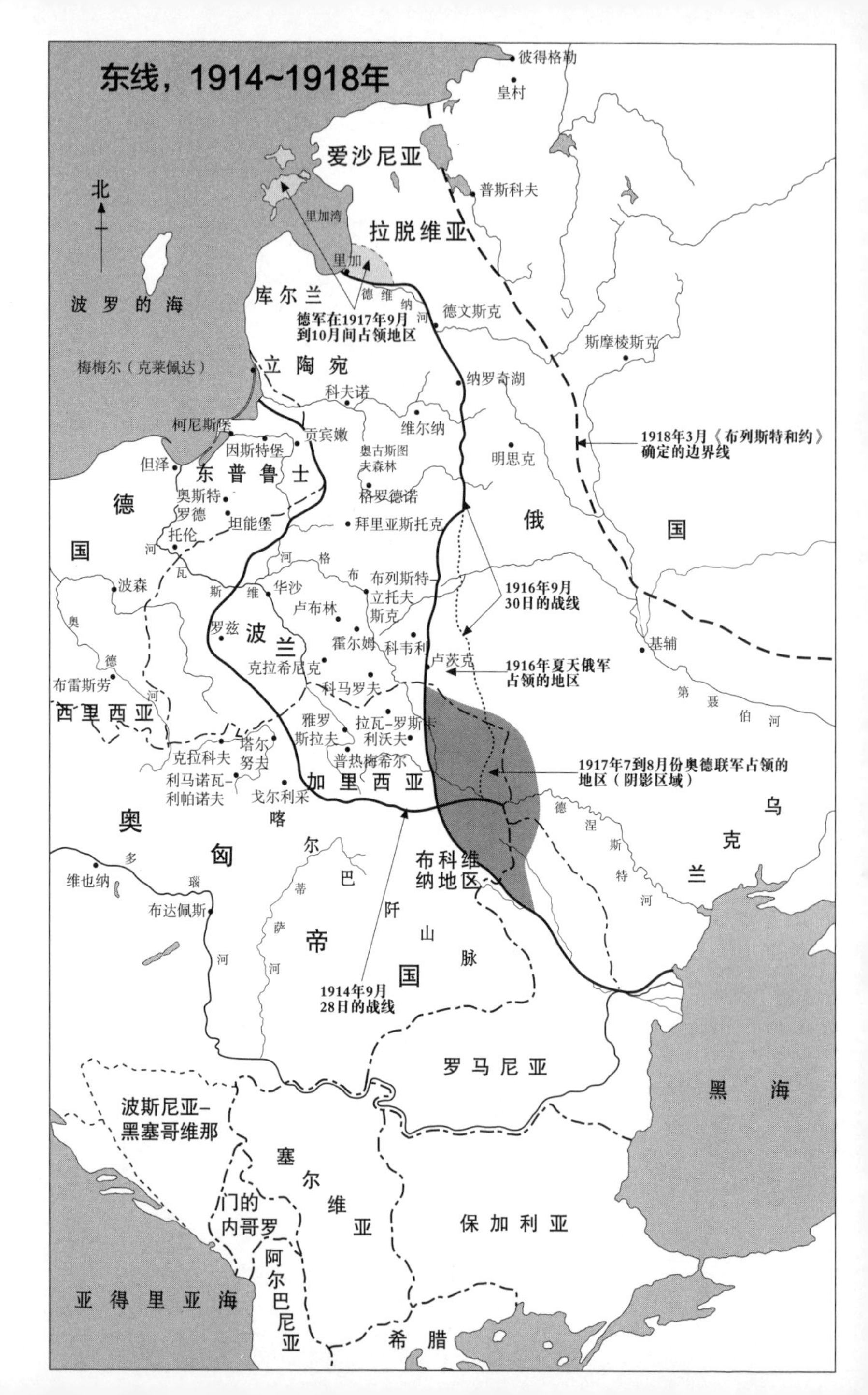
东线，1914~1918年
彼得格勒
皇村
爱沙尼亚
普斯科夫
北
里加湾
拉脱维亚
里加
波罗的海
库尔兰
德维纳河
德文斯克
德军在1917年9月
到10月间占领地区
斯摩棱斯克
梅梅尔（克莱佩达）
立陶宛
纳罗奇湖
科夫诺
维尔纳
柯尼斯堡
贡宾嫩
1918年3月《布列斯特和约》
确定的边界线
因斯特堡
奥古斯图
夫森林
明思克
但泽
东普鲁士
德
国
奥斯特
罗德
格罗德诺
坦能堡
拜里亚斯托克
俄
国
托伦
河
瓦
斯
维
河
格
布
布列斯特-
立托夫
斯克
华沙
1916年9月
30日的战线
波森
卢布林
罗兹
波
兰
霍尔姆
科韦利
基辅
卢茨克
1916年夏天俄军
占领的地区
奥
德
河
克拉希尼克
布雷斯劳
科马罗夫
第
聂
伯
河
西里西亚
雅罗
斯拉夫
拉瓦-罗斯卡
利沃夫
塔尔
努夫
克拉科夫
普热梅希尔
1917年7到8月份奥德联军占领的
地区（阴影区域）
利马诺瓦-
利帕诺夫
加里西亚
戈尔利采
德
涅
斯
特
河
乌
克
兰
奥
匈
帝
国
喀
尔
巴
阡
山
脉
多
瑙
河
维也纳
布科维
纳地区
布达佩斯
蒂
萨
河
1914年9月
28日的战线
罗马尼亚
黑海
波斯尼亚-
黑塞哥维那
塞
尔
维
亚
门的
内哥罗
保加利亚
阿
尔
巴
尼
亚
亚得里亚海
希腊

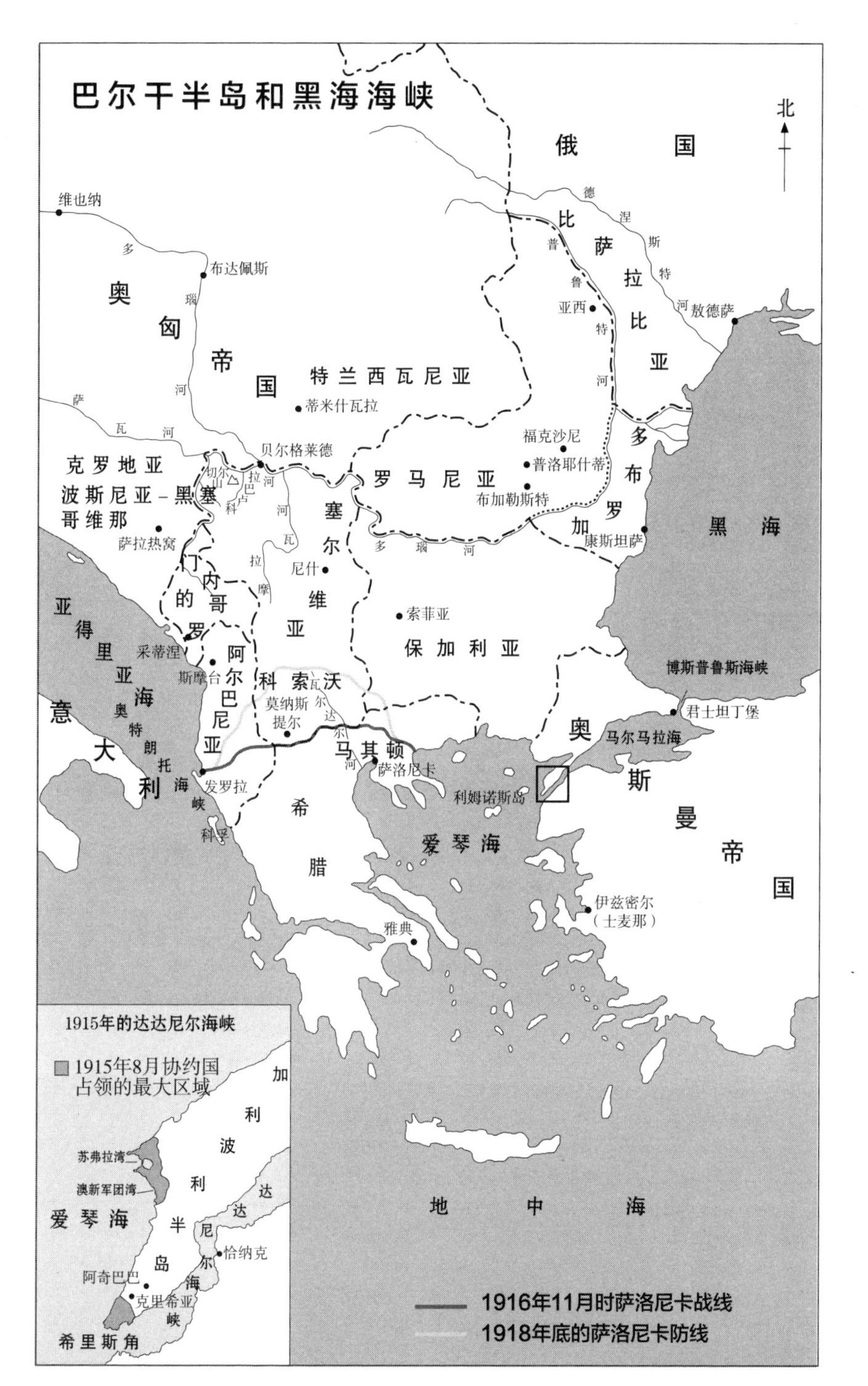

巴尔干半岛和黑海海峡
北
俄国
维也纳
多瑙河
布达佩斯
奥匈帝国
特兰西瓦尼亚
蒂米什瓦拉
萨瓦河
克罗地亚
波斯尼亚–黑塞哥维那
贝尔格莱德
切尔山
拉巴卢科
萨拉热窝
罗马尼亚
福克沙尼
普洛耶什蒂
布加勒斯特
比萨拉比亚
德涅斯特河
普鲁特河
亚西
敖德萨
多布罗加
康斯坦萨
黑海
塞尔维亚
拉瓦河
摩拉瓦河
尼什
门的内哥罗
采蒂涅
索菲亚
保加利亚
亚得里亚海
阿尔巴尼亚
斯摩台
科索沃
瓦尔达尔河
莫纳斯提尔
马其顿
萨洛尼卡
发罗拉
奥特朗托海峡
意大利
科孚
希腊
爱琴海
利姆诺斯岛
博斯普鲁斯海峡
君士坦丁堡
马尔马拉海
奥斯曼帝国
伊兹密尔（士麦那）
雅典
地中海
1915年的达达尼尔海峡
1915年8月协约国占领的最大区域
加利波利半岛
苏弗拉湾
澳新军团湾
爱琴海
达达尼尔海峡
恰纳克
阿奇巴巴
克里希亚
希里斯角
1916年11月时萨洛尼卡战线
1918年底的萨洛尼卡防线

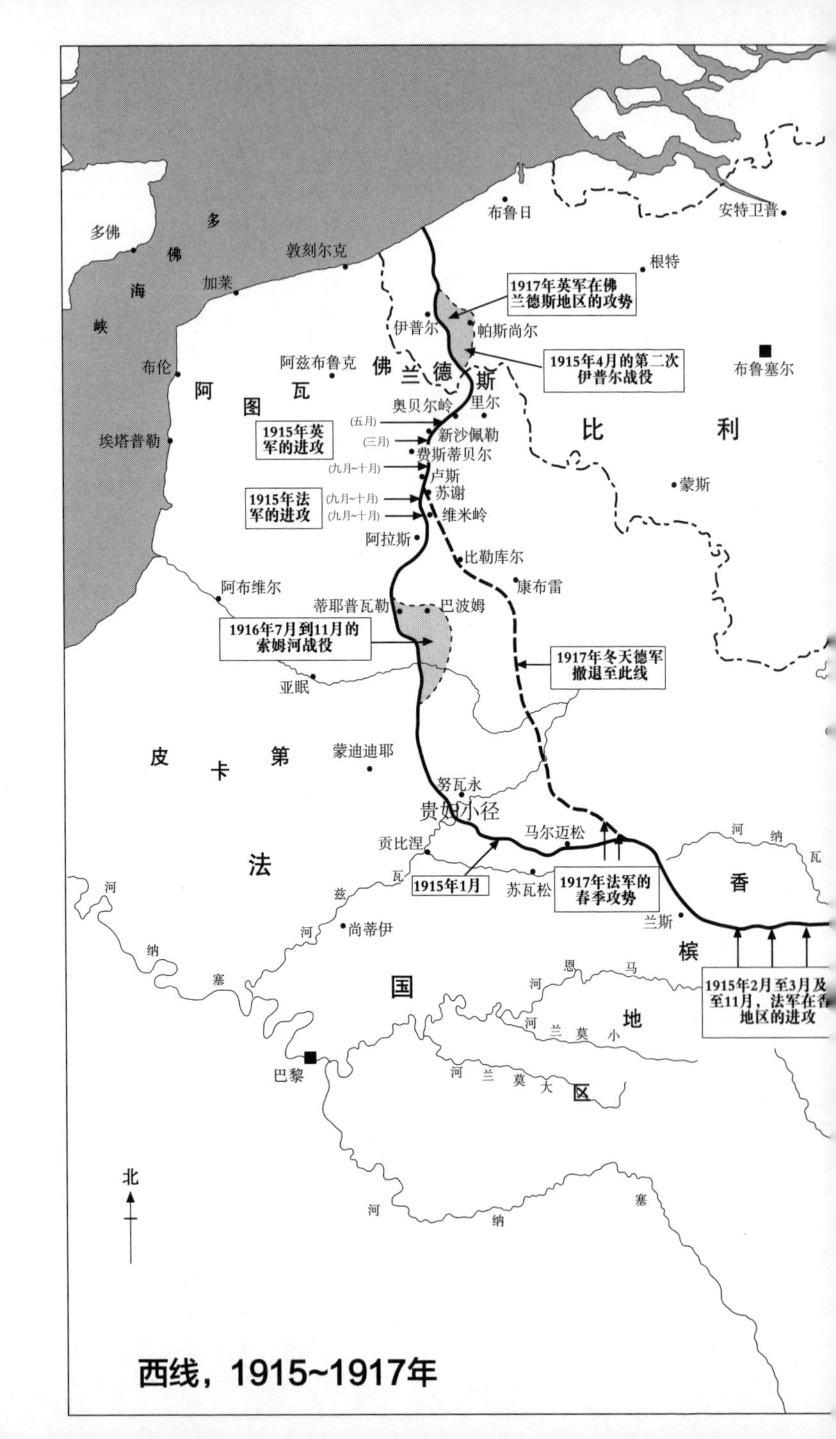

多佛
多
佛
海
峡
敦刻尔克
加莱
布伦
埃塔普勒
阿兹布鲁克
阿
图
瓦
佛
兰
德
斯
布鲁日
安特卫普
根特
1917年英军在佛兰德斯地区的攻势
伊普尔
帕斯尚尔
1915年4月的第二次伊普尔战役
布鲁塞尔
比
利
奥贝尔岭
里尔
(五月)
1915年英军的进攻
(三月)
新沙佩勒
费斯蒂贝尔
(九月~十月)
卢斯
苏谢
1915年法军的进攻
(九月~十月)
(九月~十月)
维米岭
阿拉斯
蒙斯
比勒库尔
康布雷
阿布维尔
蒂耶普瓦勒
巴波姆
1916年7月到11月的索姆河战役
1917年冬天德军撤退至此线
亚眠
皮
卡
第
蒙迪迪耶
努瓦永
贵妇小径
马尔迈松
贡比涅
法
瓦
兹
河
1915年1月
苏瓦松
1917年法军的春季攻势
香
兰斯
河
纳
瓦
尚蒂伊
河
纳
塞
槟
恩
马
河
国
1915年2月至3月及至11月，法军在香地区的进攻
河
兰
莫
小
地
巴黎
河
兰
莫
大
区
北
河
纳
塞
西线，1915~1917年

兰
鲁尔区
杜塞尔多夫
科隆
亚琛
列日
德国
科布伦茨
法兰克福
美因茨
巴特克罗伊茨纳赫
卢森堡
阿登
卢森堡市
隆维
1917年法军的
春季攻势
布里埃
蒂永维尔
杜奥蒙堡
法
夫
尔
沃堡
梅斯
萨尔区
脉
山
日
孚
河
圣米耶勒
洛
林
地
区
图勒
南锡
茵
斯特拉斯堡
莱
阿
尔
萨
斯
科尔马

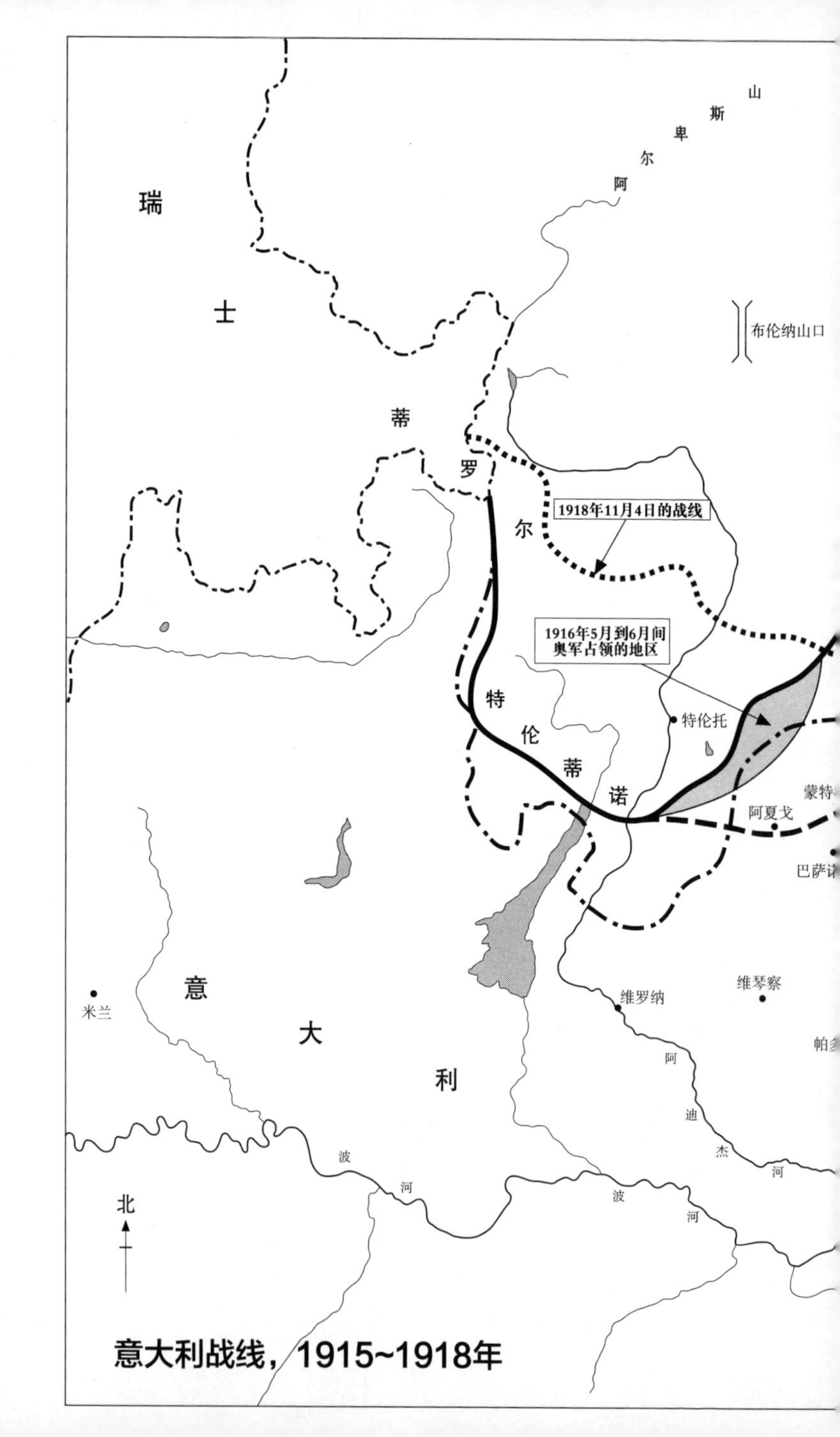

意大利战线，1915~1918年

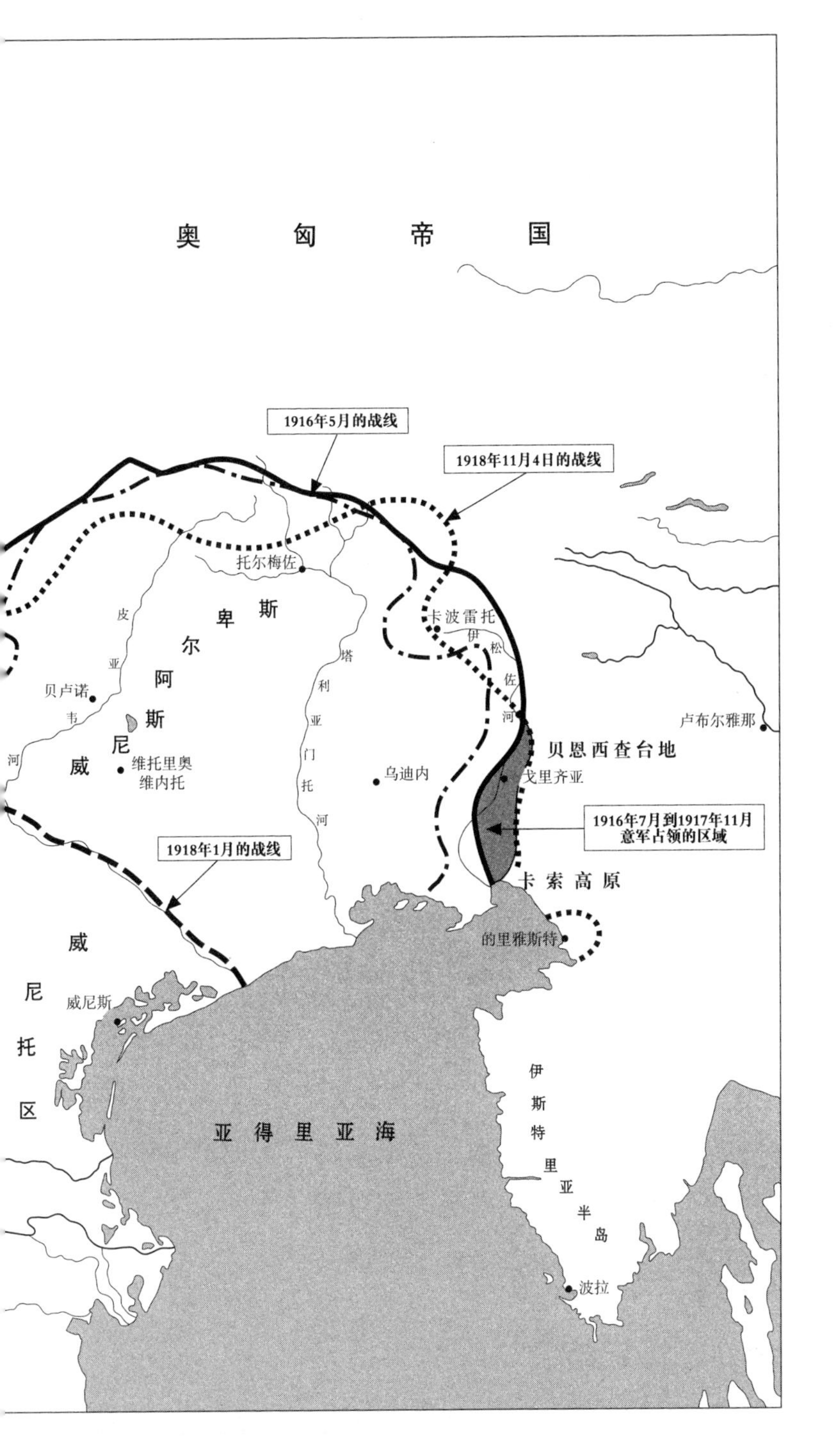

奥匈帝国
1916年5月的战线
1918年11月4日的战线
托尔梅佐
斯
卑
尔
阿
斯
尼
威
皮
亚
韦
河
贝卢诺
维托里奥
维内托
塔
利
亚
门
托
河
卡波雷托
伊
松
佐
河
乌迪内
卢布尔雅那
贝恩西查台地
戈里齐亚
1916年7月到1917年11月
意军占领的区域
1918年1月的战线
卡索高原
的里雅斯特
威
尼
托
区
威尼斯
亚得里亚海
伊
斯
特
里
亚
半
岛
波拉

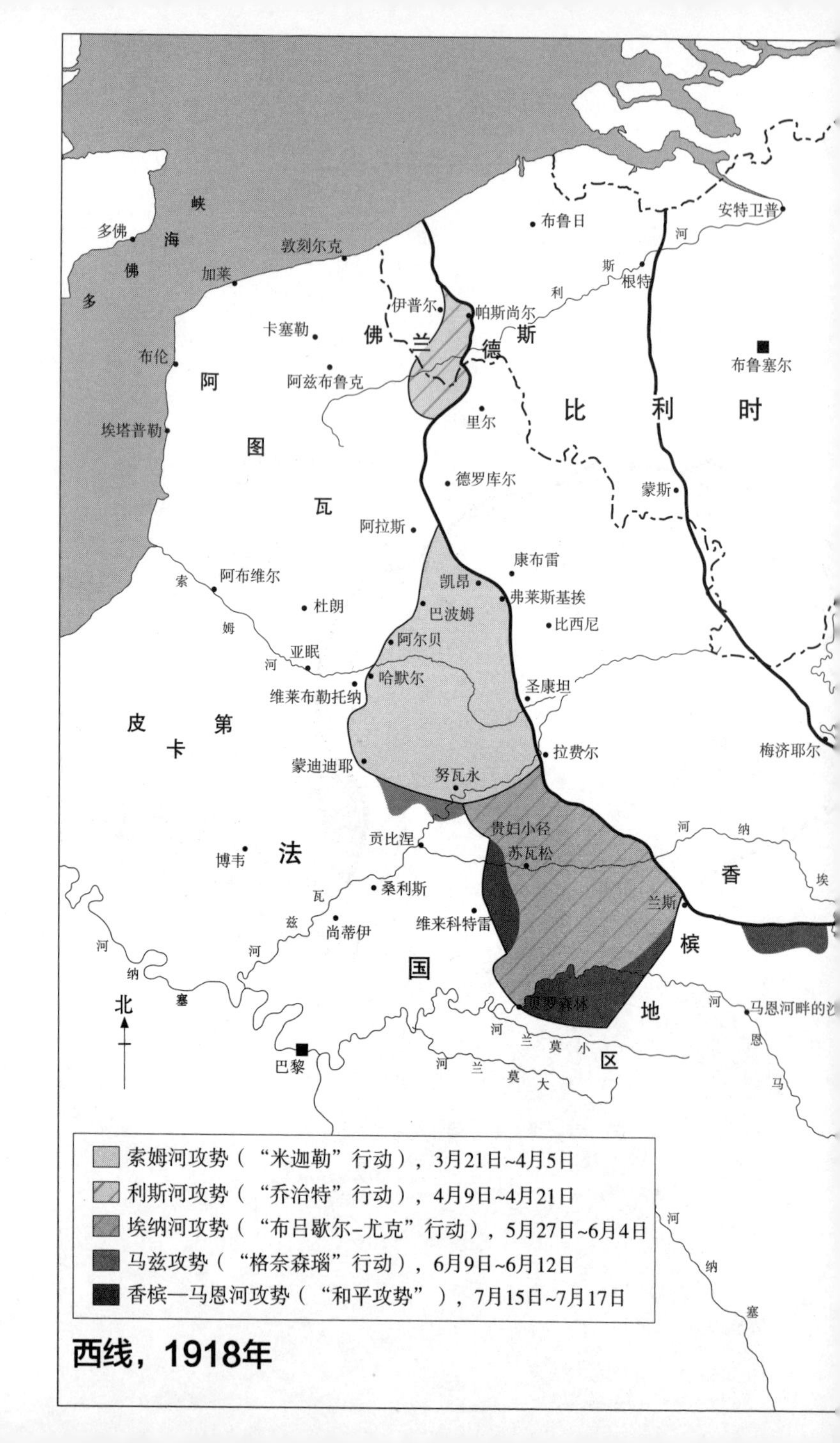
多佛海峡
多佛
加莱
敦刻尔克
布鲁日
安特卫普
根特
利斯河
伊普尔
帕斯尚尔
卡塞勒
佛兰德斯
布鲁塞尔
布伦
阿兹布鲁克
阿图瓦
里尔
比利时
埃塔普勒
德罗库尔
蒙斯
阿拉斯
康布雷
凯昂
弗莱斯基挨
阿布维尔
杜朗
巴波姆
比西尼
索姆河
阿尔贝
亚眠
哈默尔
维莱布勒托纳
圣康坦
皮卡第
拉费尔
梅济耶尔
蒙迪迪耶
努瓦永
贵妇小径
贡比涅
苏瓦松
博韦
法国
桑利斯
瓦兹河
尚蒂伊
维来科特雷
兰斯
香槟地区
埃纳河
塞纳河
贝罗森林
马恩河畔的沙
马恩河
北
巴黎
小莫兰河
大莫兰河
索姆河攻势（“米迦勒”行动），3月21日~4月5日
利斯河攻势（“乔治特”行动），4月9日~4月21日
埃纳河攻势（“布吕歇尔-尤克”行动），5月27日~6月4日
马兹攻势（“格奈森瑙”行动），6月9日~6月12日
香槟—马恩河攻势（“和平攻势”），7月15日~7月17日
西线，1918年

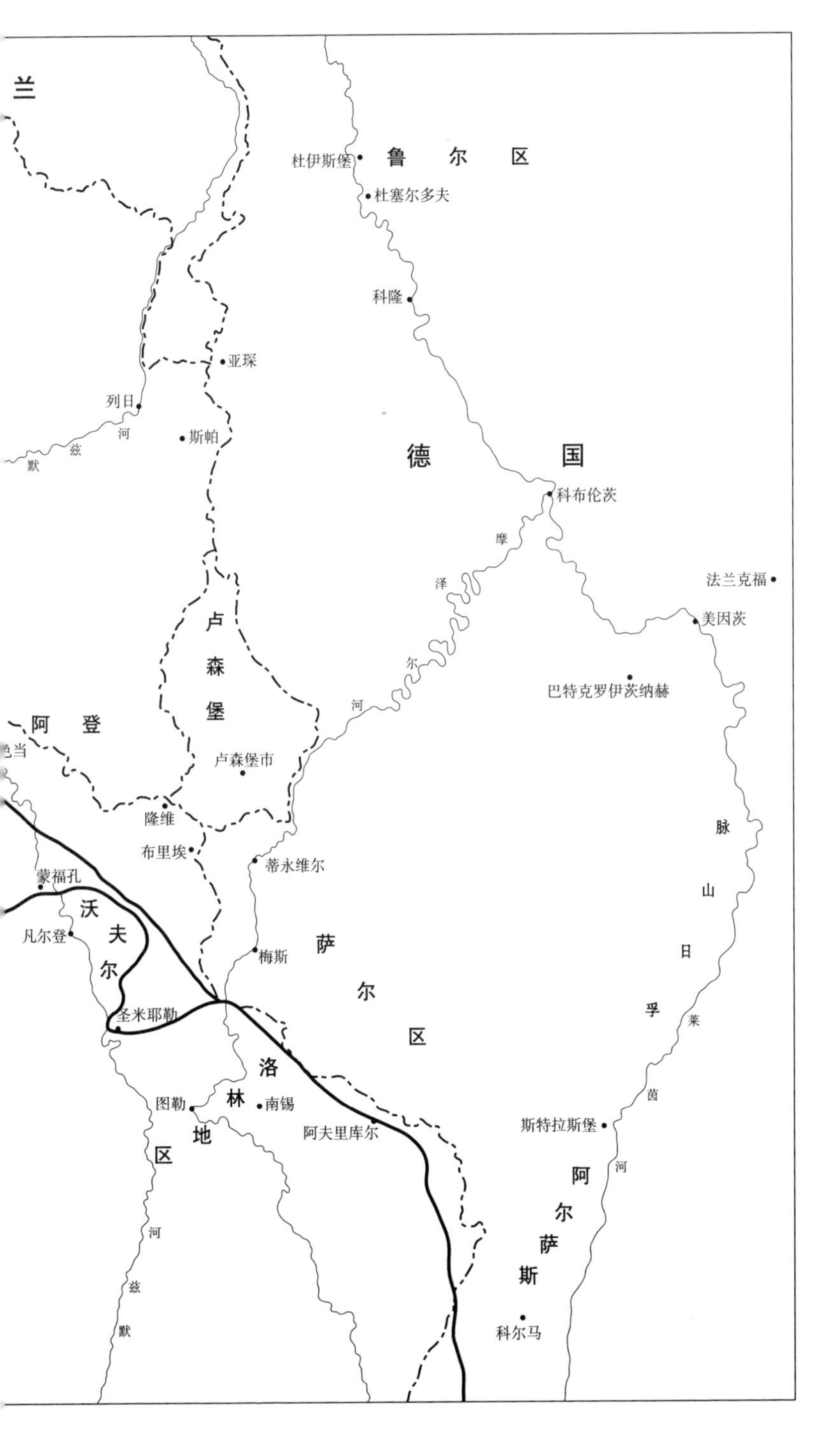
兰
杜伊斯堡
鲁尔区
杜塞尔多夫
科隆
亚琛
列日
斯帕
默兹河
德国
科布伦茨
摩泽尔河
法兰克福
美因茨
巴特克罗伊茨纳赫
卢森堡
阿登
卢森堡市
隆维
布里埃
蒂永维尔
蒙福孔
沃夫尔
凡尔登
梅斯
萨尔区
圣米耶勒
洛林地区
图勒
南锡
阿夫里库尔
脉山日孚
莱茵河
斯特拉斯堡
阿尔萨斯
科尔马
默兹河

关于参考文献的说明

下面的这份清单，重提了我自己出版的一部分作品，但主要目的是列出过去几年来学者们创作的大量文献。那些较为老旧的著作，人们可以在这些新作品的参考书目中查找到。只有在罕见、极为罕见的情况下，我才会提及它们（有时会提到它们重印的日期）。这类作品就包括我自己的《东线：1914~1917》（*The Eastern Front 1914~1917*，*1975*）。很显然，它仍然是关于东线问题的重要作品。俄国人在很早以前就不想再研究有关东线的话题，因此，包括土耳其在内其他所有国家，有关东线的出版物都遥遥领先于俄罗斯。

最近有 3 部作品对第一次世界大战进行了大范围描述和解释，它们极具研究价值，因为它们对早些时候的研究叙事进行了更新，并与近年来的大量记述成果结合了起来。戴维·史蒂文森（David Stevenson）的《第一次世界大战史：1914~1918》（*1914~1918: The History of the First World War*，2004），在“一战”的所有问题上都提供了极为重要的资料，比如，当时在医药或飞机方面取得的进步。尼尔·弗格森的《战争的悲悯》（*The Pity of War*，*1998*）研究范围也十分广泛，尽管关注的方向不同于史蒂文森，该书尤其关注战争财政这个非常重要的主题，而且，它指出的其他问题，比如士兵们的士气和他们为什么会那样战斗，也都具有重要价值。休·斯特拉恩（Hew Strachan）的《第一次世界大战之第一卷：准备战斗》（*The First World War, Vol.I: To Arms*）是计划出版的3卷本中的第一卷，作者对军事非常熟悉，还论及了奥斯曼帝国前几个月在战争中付出的努力。我十分感谢这3部重要著作提供的资料和观点。

其他几部较短的描述性著作也需在此介绍一下，每一部作品都有它自身的优点。罗宾·普赖尔（Robin Prior）和特雷弗·威尔逊（Trevor Wilson）《第一次世界大战》（*The First World War*）在军事技术细节方面，比如对于大炮的使用发生的变化，给了我非常实用的帮助。二人都对A·J·P·泰勒的那本篇幅很短的《第一次世界大战》（*The First World War*，*1966*）不屑一顾，我也一样，但企鹅出版社却在不断重印。我在莫斯科的时候得知，俄罗斯官方关于东线历史的著作最终会在2014年出版。意大利战线已得到充分研究，马里奥·伊斯内什（Mario Isnenghi）和乔吉奥·洛查（Giorgio Rochat）在他们所著的《世界大战：1914~1918》（*La Grande Guerra 1914~1918*，*2004*）一书中，有精美的图片和扎实的文献探讨。曼弗雷德·劳赫恩施泰纳（Manfred Rauchensteiner）的《双头鹰之死》（*Der Tod des Doppeladlers*，*1993*），则对"一战"中的奥匈帝国进行了研究。关于法国的最新著作是安东尼·克莱顿（Anthony Clayton）的《光辉的道路：1914~1918年的法军》（*Paths of Glory: The French Army 1914~1918*，*2005*），不过J·B·迪罗塞勒（J.B.Duroselle）的《法国人的第一次世界大战》（*La Grande Guerre des Français*，*1994*）也值得一读。关于土耳其战线的情况，爱德华·J·埃里克森（Edward J Erickson）的《受命去死》（*Ordered to Die*，*2000*）中有所讨论，人

们也可参阅迈克尔 · 卡弗（Michael Carver）的《土耳其战线》(*The Turkish Front*，2001)。当然，科芒当特 · 拉尔谢（Commandant Larcher）的《世界大战中的土耳其战场》(*La Guerre Turque dans la guerre mondiale*，*1926*）仍然值得一读。关于德国，G · 赫希菲尔德（G. Hirschfeld）的《第一次世界大战百科全书》(*Enzyklopädie Erster Weltkrieg*，*2003*）一书对重要事件都做了摘要性论述，由于一些文献已不复存在，因此从这个角度说，他这部百科全书很有实用价值。人们也可参看霍尔格 · 赫尔维格（Holger Herwig）的《第一次世界大战：1914~1918年的德国和奥匈帝国》(*The First World War: Germany and Austria-Hungary 1914~1918*，*1997*)。

上述这些论著是我叙事的基础。不过，现在通过在网上的大量搜索，很容易就能够补充基本的叙述。在谷歌上搜索任何一个名字或主题，一般都会找到值得注意的内容。许多博物馆都有它们自己的网址，在那里搜索，能得到更多信息。伦敦的帝国战争博物馆（The Imperial War Museum，www.iwm.org.uk）是其中的代表，尤其引人注目。有许多私人博物馆网址也值得搜索浏览，比如www.worldwarI.com， www.grande-guerre.org，或者www.firstworldwar.com。我在其他一些网站中也查找到过许多文献资料，比如www.findagrave.com。其他国家也有类似的网站，但英国人，至少是“盎格鲁撒克逊人”在这方面还是遥遥领先的。

与本书各章有关的延伸阅读（和参考资料），读者可以参阅下述作品（也是对前文提到的那些论著的一个补充）。

第一章：

最近出版的一部论著是戴维·弗洛姆金（David Fromkin）的《欧洲的最后一个夏天：谁发动了1914年的战争？》（*Europe's Last Summer: Who Started the War in 1914*, *2004*），书中还附有一份不错的书单。詹姆斯·约尔（James Joll）的《第一次世界大战的起源》（*The Origins of the First World War*, *1992*）仍然具有重要价值，而作为对“一战”背景的研究，A·J·P·泰勒的《争夺欧洲霸权：1848~1918》（*The Struggle For Mastery in Europe 1848~1918*, *1954*）也同样重要。在泰勒写作此书的时代，人们仍然把1914年7月危机看作是一系列外交危机的结果，并对那些危机（摩洛哥危机等）做了非常出色的论述，不过泰勒倾向于认为1914年7月危机是“体系”而不是柏林政客们阴谋的产物。伊曼纽尔·盖斯（Imanuel Geiss）的《七月危机和战争爆发：1914》（*Julikrise und Kriegsausbruch：1914，1963~1964*），英文缩减版的名字是《1914年7月》（*July 1914，1967*）。他确实利用文献把“一战”的爆发描述成德国导演的危机。盖斯从那些没有遭到毁坏的文件中发现了更加确切的证据，阴谋论于是开始浮出水面。关于这一点，人们可以参看安杰拉·蒙鲍尔（Angela Mombauer）的《第一次世界大战的起源》（*Origins of the First World War，2002*）。盖斯颠覆了俄国的军事动员引发了德国宣战这个有重要影响的神话。人们也可以参阅V·伯格翰（V.Berghahn）的《1914年的德国和战争的临近》（*Germany and the Approach of War in 1914，1995*）。伯格翰教授的优势在于他对海军的特性十分熟悉。

第二章：

对于战争开端这一重要时刻，L·布尔夏特（L.Burchardt）的《和平经济与预防战争》（*Friedenswirtschaft und*

Kriegsvorsorge，*1968*）和L · J · 法勒（L.J.Farrar）的《速战幻梦》（*The Short-War Illusion*，*1973*）从不同角度对战争的开端进行了探讨。温斯顿 · 丘吉尔的《世界危机》（*World Crisis*）（6卷本，1923~1931）和约翰 · 基根（John Keegan）的《第一次世界大战新论》（*The First World War*，1998）都对马恩河战役做了颇具戏剧性的描述。D · E · 肖瓦尔特（D.E.Showalter）的《坦能堡战役》（*Tannenberg*）也值得一读。

第三章：

蒂姆 · 特拉弗斯（Tim Travers）的《杀戮战场》（*The Killing Ground*，*2003*）是研究英军"学习曲线"的一部重要著作。罗伯特 · 格雷夫斯的《别了，那所有的一切》对于在法国开始战斗历程的英国"新军"，做了重要描述，他不再心存幻想。与之相比，巴里 · 韦布（Barry Webb）的《埃德蒙 · 布伦顿》（*Edmund Blunden*，*1990*）一书的观点则要更加温顺。另外一位对英军进行过观察的重要人物是E · L · 斯皮尔斯（E.L.Spears），在两次世界大战中，他都是负责联系法军的军官。马克思 · 埃格雷蒙特（Max Egremont）在他的《在两面旗帜下》（*Under Two Flags*，*1997*）一书中对斯皮尔斯一生做了精彩的记录。关于意大利参战，印德罗 · 蒙特烈里（Indro Montanelli）的《乔利蒂的意大利》（*L'Italia di Giolitti*，*1975*）一书记述精妙，很有可读性，而且带有现代意大利人有时会表现出的那种黑色幽默。关于达达尼尔战役，奈杰尔 · 斯蒂尔（Nigel Steel）和彼得 · 哈特（Peter Hart）的《在加利波利的战败》（*Defeat at Gallipoli*，2002），与蒂姆 · 特拉弗斯的《加利波利：1915》（*Gallipoli 1915*，*2001*），都论述扎实，非常公正。关于亚美尼亚人问题，京特 · 莱维（Guenter Lewy）的《奥斯曼土耳其帝国境内的亚美尼亚人大屠杀》（*The Armenian Massacres in Ottoman Turkey*，*2005*）一书使关于这个问题的其他所有著作都黯然失色，不过，弗兰茨 · 韦菲尔（Franz Werfel）最初写于1932年的《穆萨达的四十天》（*Vierzig Tage des Musa Dagh*），虽说被翻译成英文后毫无文采可言，而且有些随意歪曲历史，但还是一部值得尊重的小说。如果非要争论亚美尼亚人大屠杀的话，韦菲尔在他小说的扉页上写道："请不要用这一争论来反对土耳其人"。关于封锁，苏图（G.-H.Soutou）的《财富与生命》（*L'Or et le sang*，*1989*）探讨了协约国集团经济战争的掠夺目标。A · 奥弗（A.Offer）的《第一次世界大战：一个农民的解释》（*The First World War: An Agrarian Interpretation*，*1989*），从一个有趣和有独创性的角度对战争的目的进行了阐述。格尔德 · 哈达克（Gerd Hardach）的《第一次世界大战》（*The First World War*,*1977*）作为研究经济史的系列著作的一部分，仍然对“一战”经济目标这个庞大主题进行了最广泛的论述（当然，在各国财政方面，前文引用过的尼尔 · 弗格森的著作最出色）。

第四章：

关于凡尔登战役，阿里斯泰尔 · 霍恩（Alistair Horne）的《荣耀的代价》（*The Price of Glory*，*1978*）是一部经典之作。霍尔格 · 阿夫勒巴赫（Holger Afflerbach）的《法金汉》（*Falkenhayn*，*1996*）纠正了传奇故事中的许多错误。关于索姆河战役，最新的一部著作是彼得 · 哈特的《索姆河战役》（*The Somme*，*2005*）。学者们对英军的战略仍然存在着许多争论。约翰 · 特莱因（John Terraine）在 1963 年出版了一部赞美英雄却不受欢迎的著作——《黑格，有教养的战士》（*Haig, the Educated Soldier*）。当时正值《多可爱的战争》在伦敦和巴黎上演，它是根据士兵们创作的歌曲改编的音乐剧，后来又被拍成了电影。就算是这部电影的舞台演出版本都接近于天才之作。尽管如此，考虑到黑格将军面临的巨大困难，特莱因的辩解中可能还是有一些最值得称道的内容。林恩 · 麦克唐纳（Lyn Macdonald）做了一件令人感叹的工作，她收集了“一战”每一年里，士兵们在战壕里的生活故事。她的《索姆河战役》（*Somme*）一书于 1993 年出版。关于日德兰海战，阿瑟 · 马德（Arthur Marder）的《从无畏舰到斯卡帕湾：费舍尔时代的皇家海军》（*From the Dreadnought to Scapa Flow: The Royal Navy in the Fisher Era*，5 卷 本，1961~1970 年 ），是一套付出了心血的力作，已得到广泛公认。

第五章：

弗里茨 · 菲舍尔（Fritz Fischer）在他的《争雄世界》（*Griff nach der Weltmacht*）一书中对同盟国和平倡议的背景做过阐述，该书后被译成英文，书名变为《德意志帝国：1914~1918 年战争目标政策》（*Germany's Aims in the*

First World War, *1967*)。关于美国参战，芭芭拉 · 塔奇曼（Barbara Tuchman）的《齐默尔曼电报》（*The Zimmermann Telegram*, *1966*）是一本非常好的入门读物（她是驻伊斯坦布尔大使摩根索先生的女儿）。G · 佩德隆西尼（G.Pedroncini）在《1917年的兵变》（*Les Mutineries de 1917*, *1967*）一书中描述了1917年春天法军的遭遇的灾难。普赖尔和威尔逊（Prior and Wilson）的《帕斯尚尔：一个未被讲述过的故事》（*Passchendaele: The Untold Story*, *1996*）典型地描述了发生在西线的一次战役。利昂 · 沃尔夫（Leon Wolff）的《在佛兰德斯的战场》（*In Flanders Fields*, *1958*）言语犀利，叙事令人震惊。在我十几岁时，有一个圣诞节，我阅读过此书（和罗伯特 · 格拉夫斯的作品一起读的），自此再也没有忘记这两部著作的内容。关于意大利人遭遇的灾难，也有大量的文献，两位英国登山家约翰 · 威尔克斯和艾琳 · 威尔克斯（John and Eileen Wilks），他们对地形和水源地都同样有着非凡的洞察力，并凭此创作了《隆美尔和卡波雷托战役》（*Rommel and Caporetto*, *2001*）。马里奥 · 伊斯内什的《卡波雷托战役的失败者》（*I Vinti di Caporetto*, *1967*）探讨了有关士兵士

气的问题，他的《世界大战》（前文已提及）一书中有十分全面的书目索引。海因茨 · 冯 · 利歇姆（Heinz von Lichem）的《高山牧场上的战争》（*Krieg in den Alpen*，*1993*），虽然内容有些松散和浪漫，但对山脉地形却非常熟悉。关于1917年的俄国，我们有两本结论十分不同但内容都极为全面的论著。一本是理查德 · 派普斯（Richard Pipes）的《俄国革命》（*The Russian Revolution*，*1999*），另一本是奥兰多 · 菲格斯（Orlando Figes）的《一个民族的悲剧》（*A People's Tragedy*，*1997*）。罗伯特 · 瑟维斯（Robert Service）在他的《列宁传》（*Lenin*，两卷本，*1991*）一书中出色地阐释了列宁是如何实现他的本能判断的。奥列格 · 艾拉佩托夫（Oleg Airapetov）的《沙皇帝国的最后战争》（*Poslednyaya Voyna Imperatorskoy Rossii*，2002）和《将军、自由派和工业家》（*Generaly, Liberaly i Predprinimately*，*2003*），充分代表了俄国历史学家的研究水平，这两部书都深入探讨了十月革命前俄国高层内部的分裂。

第六章：

惠勒·贝内特（J.L.Wheeler Bennett）的《布列斯特–立托夫斯克：被遗忘的和平》（*Brest-Litovsk: The Forgotten Peace*，1938）是关于《布列斯特和约》最值得阅读的著作，不过，鲍姆加特（W.Baumgart）的《1918年德国的东方政治》（*Deutsche Ostpolitik 1918*，*1966*）一书包括了许多有关高加索和乌克兰等地区的重要翔实的资料。马丁·米德尔布鲁克（Martin Middlebrook）的《德皇之战》（*The Kaiser's Battle*，*1978*）和蒂姆·特拉弗斯的《战争是如何赢得的》（*How the War was Won*，1992）都对鲁登道夫攻势进行了分析。关于战争经济的衰退，人们可参看费尔德曼（G.D.Feldman）的《1914~1918年德国的军队、工业和劳动力》（*Army, Industry and Labour in Germany 1914~1918*，*1966*）。克劳斯·施瓦布（Klaus Schwabe）的《伍德罗·威尔逊，革命的德国与和平的缔造：1918~1919》（*Woodrow Wilson, Revolutionary Germany and Peacemaking 1918~1919*，*1985*），对战争结局进行了论述。贝尔纳·米歇尔（Bernard Michel）的《奥匈帝国

的崩溃》(*La Chute de l'Empire austro-hongrois*, *1991*),以引人入胜的细节详细描述了中欧的解体过程。

第七章:

在写作这一章的过程中,我参阅的著作有:斯坦福·J·肖(Stanford J. Shaw)的《从帝国到共和国:1918~1923年的土耳其民族解放战争》(*From Empire to Republic: The Turkish War of National Liberation 1918~1923*, 2000)。迈克尔·卢爱林-史密斯(Michael Llewellyn-Smith)的《爱奥尼亚的幻梦》(*Ionian Vision*, *1999*),这是一部对希腊人和土耳其人两方都十分公允的著作。玛格丽特·麦克米兰(Margaret MacMillan)的《1919年的巴黎》(*Paris 1919*, *2003*)极为出色地概述了和平缔造的过程。罗伯特·斯基德尔斯基(Robert Skidelsky)的《凯恩斯:遭到背叛的希望》(*J.M. Keynes: Hopes Betrayed*, *1998*)是记述那一代人智识和道德氛围的杰作。关于中东地区,戴维·弗洛姆金的《终结所有和平的和平》(*A Peace to End All Peace*, *2005*)理所当然是一部畅销书，但还有两部时间上稍早的著作更值得关注，一部是沃尔特·拉克尔（Walter Laqueur）的《犹太复国主义史》（*A History of Zionism*，*2003*），另一部是艾利·凯多里（Elie Kedourie）的《英国与中东：奥斯曼帝国的消亡》（*England and the Middle East: The Destruction of the Ottoman Empire*）。关于德国的结局，塞缪尔·霍尔珀林（Samuel Halperin）的《德国试验了民主》（*Germany Tried Democracy*，*1965*），是一位新闻记者对当时德国广闻博见的记述，不过，这本书应该与温克勒（H.A.Winkler）的《魏玛：1918~1933》（*Weimar 1918~1933*，*1999*）一起来读。关于两次世界大战之间发生的灾难，泰勒的（A.L.P.Taylo）《第二次世界大战的起源，1963》一书的前100多页和后面的"再思考"，总结了宏愿和现实之间的鸿沟。非常有趣的是，马尔科姆·马格里奇（Malcolm Muggeridge）于1939年写作的《三十年代》（*The Thirties*）也得出了同样的结论。

最后须列举的作品是一些小说。1914年的一代人都非常善于写作，精通文学，他们创作出了比1939年的一代人更多更好的作品。在我自己的清单中，我最推崇的小说包括路易-费迪南·塞利纳（Louis-Ferdinand Céline）的《茫茫黑夜漫游》（*Voyage au bout de la nuit*），弗雷斯特（C.S.Forrneste）的《将军》，塞巴斯蒂安·福克斯（Sebastian Faulks）的《鸟鸣》（*Birdsong*），还有路易·德·贝尔尼埃（Louis de Bernieres）的《无翅的小鸟》（*Birds Without Wings*）。对于所有这些作品，我都爱不释手，每一部作品都是一口气读完，这可能是我对它们最好的赞誉了。